Jürgen Lai

MEIN LEBEN
OHNE GLUTEN

**KEIN WEIZEN. KEINE GERSTE. KEIN ROGGEN.
KEIN DINKEL. KEIN EMMER. KEIN HAFER.**

Die Deutsche Nationalbibliothek DNB verzeichnet diese Publikation in der Deutschen Nationalbibliografie, detaillierte bibliografische Daten sind im Internet über www.dnb.de abrufbar. Veröffentlicht mit tradition GmbH (Verlag & Druck), Halenreie 40-44, 22359 Hamburg.

ISBN 9783347420564 | Paperback
ISBN 9783347420571 | Hardcover
ISBN 9783347420588 | E-Book

Jürgen Lang

MEIN LEBEN OHNE GLUTEN

Gewidmet meiner Frau Carmen.
Gracias por tu paciencia.
Gracias por ser parte de mi vida y
por dejarme ser parte de la tuya.

Inhalt

Wer nicht jeden Tag etwas Zeit für seine Gesundheit aufbringt,
muss eines Tages sehr viel Zeit für die Krankheit opfern.

Sebastian Anton Kneipp

Der Anfang
vom Anfang

»Es ist das Gluten. Sie haben eine Zöliakie.«
Als ich diese Worte von meinem Arzt gehört hatte, standen mir die Fragezeichen vermutlich ins Gesicht geschrieben.
Gluten? Zöliakie?
Das Nachreichen erster Informationen war nett gemeint, half mir in dem Augenblick aber nur bedingt weiter. Es handle sich um eine Nahrungsmittelunverträglichkeit, hieß es, eine durch Gluten verursachte Störung des Immun- und Verdauungssystems. Das schädliche Gluten komme in Lebensmitteln aus Getreide vor, insbesondere in Backwaren und Nudeln, Pizza oder auch Bier. Durch ihren Verzehr werde eine Immunreaktion ausgelöst und deshalb dürfe ich alle Speisen und Getränke, die Gluten enthalten, ab sofort nicht mehr essen oder trinken. Es gebe aber eigens glutenfreie Produkte.

Heilbar sei die Zöliakie nicht und Medikamente existierten auch keine. Die Behandlung bestehe allein in einer glutenfreien Diät, die für den Rest des Lebens eingehalten werden müsse.
Aha. Eine Zöliakie also.
Eine Zöliakie?

Beim Erklären fehlte freilich nicht das für Mediziner typische Fachlatein: Von einer Schädigung der Zotten im Relief des Dünndarms war die Rede, von Antigenen und Antikörpern gegen Gliadin sowie sonstigen Dingen, von denen ich als klassischer Otto Normalpatient nicht einmal wusste, dass es sie gibt.

Immerhin hatte ich den Begriff Gluten schon einmal gehört und ich meinte, ihn grob einordnen zu können. Ebenso meinte ich zu wissen, was Getreide ist. Doch – was ist Gluten genau und in welchen Lebens- und Nahrungsmitteln ist es enthalten? Welche Pflanzen gehören zum Getreide und wie viele Sorten gibt es? Was ist eine glutenfreie Diät und vor allem: Wie funktioniert sie? Auch dass es eigens glutenfreie Lebensmittel gibt, war mir neu.

Natürlich ist jede Situation beim Arzt anders. Anstatt von einer Zöliakie kann von einer einheimischen Sprue, einer Glutenintoleranz oder Glutenunverträglichkeit oder auch von einer glutensensitiven, gluteninduzierten oder glutenbedingten Enteropathie die Rede sein. Verschiedene Namen, dieselbe Erkrankung.

Die eine Person ist selbst betroffen, bei einer anderen ist es das symptomgeplagte Kind oder die Zöliakie macht dem geliebten Partner zu schaffen. Hier treten Symptome bei Babys und Kleinkindern auf, dort Beschwerden bei Patienten im fortgeschrittenen Erwachsenenalter. Möglicherweise wird die Zöliakie auch eher beiläufig oder zufällig entdeckt. Und nach der Diagnose erhält der eine Betroffene vielleicht die Telefonnummer einer Ernährungsberatungsstelle, ein anderer eine Informationsbroschüre und ein Dritter nur beste Wünsche für die Zukunft mit auf den Weg.

Lediglich eins ist immer gleich: Kein Patient geht nach seiner Diagnose mit einem Rezept für ein die Zöliakie heilendes oder wenigstens bekämpfendes Medikament nach Hause. Und in ein paar Tagen oder Wochen ist auch nicht alles wieder gut.

Zu dem Zeitpunkt konnte ich kaum – und wird niemand – ahnen, dass die Zöliakiediagnose eine Diagnose ist, die das Leben ziemlich umkrempelt. Aber nicht nur das eigene Leben wird auf den Kopf gestellt, sondern auch für das Umfeld sich einiges ändern.

Jetzt steht für den Rest des Lebens eine glutenfreie Diät an. Das klingt nicht nach Spaß. Das klingt nicht lecker. Das klingt vielmehr nach diesen *diätetischen Lebens- und Nahrungsmitteln für besondere medizinische Zwecke*, die in Reformhäusern erhältlich sind oder in Supermärkten irgendwo in der Ecke stehen. Vermutlich schmecken sie nicht einmal und werden völlig überteuert angeboten. Bislang habe ich solchen Produkten keinerlei Beachtung geschenkt. Warum auch? Schließlich war ich ja nicht betroffen.

Da gerade vom Supermarkt die Rede ist: Wie sieht es dort mit den glutenfreien Produkten aus?

Mit einem gespannten Na-dann-schaue-ich-doch-mal geht es auf zum ersten Einkauf in meinem neuen glutenfreien Leben. Dass auf den Verpackungen der Lebensmittel die Allergene aufgeführt sind, weiß ich zumindest. Ich weiß allerdings nicht, wie viele Allergene es überhaupt gibt und welche Zutaten alle zu den Allergenen zählen.

Schnell finde ich erste Produkte, bei denen im Zutatenverzeichnis Wörter wie *Ei, Milch, Erdnüsse, Senf* oder *Schalentiere* hervorgehoben sind – nur das Wort *Gluten* taucht nicht auf.

Ist Gluten überhaupt ein Allergen?

Auf einer Tafel Schokolade steht der Hinweis »*Kann Spuren von Gluten enthalten*«. Immerhin etwas, aber was heißt das jetzt? Alles Mögliche *kann* enthalten sein. Ich möchte wissen, ob es so ist.

Nudeln, Brot und Brötchen zählen ja ab sofort zu den für mich verbotenen Lebensmitteln, hier sind bei den Zutaten Weizenmehl und Roggenmehl hervorgehoben. Ein Anhaltspunkt. Gluten soll ja im Getreide enthalten sein, erwähnt wird es aber auch hier nicht.

Endlich sehe ich das Wort *glutenfrei* auf einer Verpackung. Ein kleines Regal ist gefüllt mit Produkten, auf denen es steht, dazu ist auf den Verpackungen ein Symbol mit einer durchgestrichenen Ähre aufgedruckt. Einige Brote und Aufbackbrötchen, etwas Gebäck und Knabberzeug, Nudeln, Mehl und Backmischungen. Das sind sie dann wohl, die besagten diätetischen Lebensmittel.

Doch dann lese ich auf einer der Verpackungen den Hinweis *Glutengehalt maximal 20 mg/kg*. Ist das Lebensmittel doch nicht glutenfrei? Es wird noch verwirrender: Auf einer anderen Verpackung steht der Hinweis *glutenfrei* und das Symbol der durchgestrichenen Ähre, im Zutatenverzeichnis allerdings auch *Weizen*.

Weizen ist doch ein Getreide! Wie kann ein glutenfreies Produkt dann Weizen enthalten?

Später sehe ich den Hinweis *glutenfrei* noch auf einer Packung mit Kartoffeltaschen – aber ohne Symbol. Die Kartoffeltaschen habe ich schon vor meiner Diagnose gekauft, ohne den Glutenfrei-Hinweis bemerkt oder auf ihn geachtet zu haben. Nur ist das Produkt doch kein diätetisches Lebensmittel. Oder doch?

Jetzt bin ich irritiert. Auf das eingangs gespannte Na-dann-schaue-ich-doch-mal folgt eine ziemliche Ernüchterung: Weder kann ich die Lebensmittel mit Gluten zweifelsfrei ausmachen, noch die glutenfreien. Genau genommen verstehe ich die Kennzeichnungen und Hinweise auf den Lebensmittelverpackungen nicht richtig.

- Welche Zutaten stehen für dieses ominöse Gluten?
- Warum gibt es Produkte mit dem Hinweis *glutenfrei* und dem Symbol der durchgestrichenen Ähre und andere mit Hinweis, aber ohne Symbol?
- Was ist mit den Lebensmitteln, bei denen im Zutatenverzeichnis kein Getreide aufgeführt ist, auf der Verpackung aber auch nicht das Wort *glutenfrei* steht?

- Was bedeutet der Hinweis auf Spuren von Gluten, die enthalten sein können?
- Und wie kann es sein, dass die Wörter *glutenfrei* und *Weizen* zusammen auf einer Verpackung stehen?

Fragen über Fragen! Wer soll da bitte durchblicken? Das glutenfreie Leben ist wohl nicht so einfach.

Wenn allerdings schon das Entdecken des Glutens bei den Lebensmitteln im Supermarkt kompliziert ist, wie sieht es dann erst bei einer Einladung zum Essen mit der Familie oder bei Freunden oder beim Essengehen in einem Café oder Restaurant aus? Wie kann ich mich richtig schützen, ohne dass sich meine Lebensqualität mindert?

Noch mehr Fragen!

Da stehe ich nun wie der berühmte Ochse vor dem noch berühmteren Berg und habe keine Ahnung von glutenhaltigen und glutenfreien Lebensmitteln oder der glutenfreien Diät.

Mir jetzt Hilfe zu holen, war nach dem kleinen Fiasko beim ersten Supermarkteinkauf ratsam, zudem ich in einem Haushalt lebte, in dem sich meine Mitbewohner – natürlich – weiterhin glutenhaltig ernähren würden.

Also habe ich mit einem Diät- und Ernährungsberater gesprochen, um zu erfahren, was jetzt am besten und was besser nicht zu tun ist. Bei den Gesprächen erhielt ich auch viele Hinweise und Ratschläge, auf was ich bei der glutenfreien Diät alles zu achten habe und wie die Vorgaben für die Diät umzusetzen seien.

- *Meiden sie alle Lebensmittel aus Weizen, Dinkel, Roggen, Gerste oder handelsüblichem Hafer.*
- *Erstellen sie einen Speiseplan und kaufen sie nur Produkte mit Symbol der durchgestrichenen Ähre und Aufschrift glutenfrei.*
- *Achten sie in der Küche darauf, dass die Speisen bei der Lagerung oder Zubereitung nicht kontaminiert werden.*

- *Weisen sie beim Essengehen immer darauf hin, dass sie Lebensmittel aus Weizen, Dinkel, Roggen, Gerste oder handelsüblichem Hafer unbedingt meiden müssen.*
- *Fragen sie in einem Restaurant, ob das Zubereiten von glutenfreien Gerichten möglich ist.*

Doch obwohl ich alle Ratschläge gewissenhaft befolgte und alles, was ich aß und trank, wie empfohlen glutenfrei war – essengegangen bin ich nur in dem Lokal in meinem Stadtviertel, was glutenfreie Speisen angeboten hat –, verlief mein glutenfreies Leben in den ersten Tagen und Wochen alles andere als reibungslos. Es wollte einfach nicht funktionieren, gänzlich beschwerdefrei zu leben.

Mit dem Vertiefen in das Thema und nach zahlreichen Gesprächen mit anderen Zöliakiebetroffenen kam ich dem Problem langsam aber sicher auf die Spur und fragte mich, ob das glutenfreie Leben in der Art und Weise, wie ich es führte – oder viel eher ausprobierte –, überhaupt funktionieren kann.

Also hinterfragte ich die erhaltenen Hinweise und Ratschläge und überprüfte die Informationen – und stellte erstaunt fest, dass so mancher Hinweis und Ratschlag wie auch so manche Information über die Zöliakie nebst den auf den Hinweisen, Ratschlägen und Informationen basierenden Vorgaben für den glutenfreien Alltag einer Überprüfung gar nicht standhalten. Es ist nicht so, dass die Informationen generell falsch waren, oft aber zumindest fraglich, weil viel zu allgemein oder auch unvollständig.

Und jetzt?

Allzu viele Möglichkeiten gab es nicht. Wird der eigene Anspruch an die Qualität der zur Verfügung stehenden Informationen zu einer Thematik oder Problematik nicht erfüllt, bleibt einem kaum etwas anderes übrig, als das Thema selber umfassend aufzuarbeiten und für sich zu erschließen.

Das galt es zu tun und das habe ich getan und deshalb lebe ich heute nicht nur glutenfrei, sondern sicher glutenfrei – und vor allem beschwerdefrei. Damit das gelingt, bedürfen das Einhalten und der Umgang mit der glutenfreien Diät ein wenig logischen Denkens und ein wenig mehr konsequenten Lassens und Tuns.

• • • • •

Nun habe ich das Buch nicht geschrieben, damit andere von einer Zöliakie Betroffene erfahren, was sie zu tun oder zu lassen haben.

Ebenso dient das Buch nicht dazu, um ohne medizinische Diagnose und Begleitung alleine herausfinden zu können, ob jemand eine glutenbedingte Erkrankung hat oder nicht.

Vielmehr habe ich das Buch als Hilfestellung geschrieben, um all denjenigen, die eine glutenbedingte Erkrankung und insbesondere eine Zöliakie haben, bei der Organisation und Bewältigung ihres Alltags zu helfen. Und das Buch ist dazu da, allen zu helfen, in deren privaten oder beruflichen Umfeld – vielleicht in der Pflege – jemand von einer Zöliakie betroffen ist. Oder wenn jemand in einer Gastronomie tätig ist und seinen Kunden beziehungsweise Gästen auch sicher glutenfreie Speisen und Getränke anbieten möchte.

Die Suche nach dem
sicher glutenfreien Leben

Ich habe also ein Problem namens Zöliakie. Die Lösung für das Problem kenne ich bereits: die glutenfreie Diät. Nur den Weg dahin – den Lösungsweg –, den muss ich mir erarbeiten.

Nun ist es heutzutage üblich, bei einer Frage oder einem Problem zunächst einmal die eine oder andere Suchmaschine im Internet zu bemühen. Die Suchmaschinen zeigen sich auskunftsfreudig und geben zu Suchbegriffen wie *Gluten, Zöliakie, glutenfreie Diät* oder *glutenfreie Ernährung* zigtausende Ergebnisse aus. Es mangelt mir also nicht an Informationen.

Angesichts der Menge ist es allerdings recht sinnbefreit, in einer solchen Datenflut die gesuchten Informationen finden zu wollen. Daher beschränke ich die Suche auf den Begriff *Zöliakie* und stoße so gleich auf der ersten Seite der Ergebnisse auf die Webseiten der Zöliakiegesellschaften.

Eine Zöliakiegesellschaft ist eine Gesundheitsorganisation oder Solidargemeinschaft, die unter anderem Zöliakiebetroffene berät, sich für deren Anliegen einsetzt, Informationen zur glutenfreien Diät bereithält und glutenfreie Lebensmittel mit dem Glutenfrei-Symbol zertifiziert. Die Gesellschaften gibt es – teils auch als Vereinigung, Zusammenschluss, Interessen- oder Arbeitsgemeinschaft – in so gut wie allen Ländern.

Eine dieser Webseiten ist die der *IG Zöliakie der Deutschen Schweiz* und dort ist zu lesen, dass

- die Zöliakie eine Unverträglichkeit gegenüber Gluten sei und Gluten ein Sammelbegriff für Proteine, die in den Getreidesorten Weizen, Dinkel und Ur-Dinkel, Grünkern, Gerste, Roggen und Hafer enthalten sind,

- bei Menschen mit Zöliakie der Verzehr von Gluten eine Entzündung der Dünndarmschleimhaut auslöse,
- dies zu verschiedenen Symptomen führe,
- die glutenfreie Ernährung die derzeit einzige bekannte Möglichkeit sei, um mit Zöliakie gesund und beschwerdefrei zu leben und
- alle glutenhaltigen Getreidesorten konsequent und lebenslang gemieden werden müssten.

Einiges war mir schon bekannt, jetzt weiß ich dank dieser ersten Übersicht auch, in welchen Getreidesorten das mich krankmachende Gluten enthalten ist.

Mit dem Hinweis, dass ich ungeachtet einer fehlenden Heilungsmöglichkeit gesund und beschwerdefrei lebe, wenn ich bei meiner Ernährung die glutenhaltigen Produkte konsequent meide, kann ich sogar eine erste gute Nachricht abernten. Ich muss nur die Lebens- und Nahrungsmittel weglassen, die aus oder mit einem glutenhaltigen Getreide hergestellt werden.

Nur.

Lebensmittel oder Nahrungsmittel? Das »*Digitale Wörterbuch der deutschen Sprache*« der Berlin-Brandenburgischen Akademie der Wissenschaften führt unter dem Stichwort *Nahrungsmittel* die Erklärung „*Lebensmittel außer Genussmitteln*" auf und unter *Lebensmittel* „*Nahrungsmittel und Genussmittel, Essware*". Die *Genussmittel* – Produkte, die wegen Geschmack oder Wirkung verzehrt werden – sollen also den Unterschied ausmachen.

Ich verwende im Folgenden den Begriff *Lebensmittel*, weil er besser in das Gesamtbild passt, in dem zudem noch Begriffe wie *Lebensmittelrecht* auftauchen. In dem sind Lebensmittel laut Artikel 2 der Verordnung (EG) Nr. 178/2002 übrigens alle Erzeugnisse oder Stoffe, „*von denen nach vernünftigem Ermessen erwartet werden kann, dass sie in verarbeitetem, teilweise verarbeitetem oder unverarbeitetem Zustand von Menschen aufgenommen werden*".

Es dauerte die eine oder andere Sekunde, dann wurde es mir bewusst: Die eben genannten glutenhaltigen Getreide werden zu Mehl, Malz und Grieß verarbeitet – genauer gesagt zu Gerstenmalz, Hartweizengrieß und natürlich Roggen-, Dinkel- oder Weizenmehl.

Das ist für mich eine sehr schlechte Nachricht, denn so gut wie jedes aus einem Teig hergestellte Lebensmittel enthält eines dieser Mehle und insbesondere Weizenmehl. Brote und Brötchen. Herzhafte und süße Gebäcke, sprich Kekse, Kuchen, Torten, Teilchen – und das geliebte Weihnachtsgebäck. Salzstangen und Laugenbrezel. Wraps, Quiches und Burritos. Flamm- oder Zwiebelkuchen. Pizza. Nudeln und Pasta. Ebenso alles, was paniert ist. Wie Fischstäbchen oder Schnitzel. Bei den Getränken betrifft es Biere, Fassbrausen, Malzgetränke, gebraute Limonaden sowie Getreidekaffees.

Für all diese Sachen gilt: Sind sie nach typischer Rezeptur hergestellt, sind sie für mich verboten. Mit der Diagnose sind die Zeiten vorbei, in denen ich – jetzt zöliakiebetroffen – mal eben in jedem Café ein belegtes Brötchen oder ein Stück Kuchen essen oder in jeder Kneipe oder jedem Biergarten mein Feierabendbier trinken kann.

Allerdings finden sich glutenhaltige Zutaten auch in Produkten, in denen ich sie nicht unbedingt erwarte, wie Fertiggerichte und Fixprodukte, Varianten von Pommes-Frites, Suppen und Soßen, Süßigkeiten oder Produkte mit Ballaststoffzusätzen.

Und da es beim Gluten auch nicht nur um die gerade genannten Mehle und Malze geht, steht vieles Anderes auf der Liste der Speisen und Getränke, deren Verzehr für mich strengstens verboten ist.

Strengstens heißt in diesem Zusammenhang übrigens, dass es zu dem Verbot keine Ausnahme gibt. Wirklich keine. Selbst dann nicht, wenn mein eigener Geburtstag, Ostern und Weihnachten auf einen Tag fallen, wie man so schön sagt. Und wenn der Arzt anordnet, dass die Lebensmittel, in denen das Gluten steckt, *ab sofort* verboten sind, dann meint er das auch so. Das hängt damit zusammen, dass der Rückgang der durch die Zöliakie ausgelösten Symptome erst bei einer vollständig glutenfreien Ernährung in Gang kommen kann. Dementsprechend ist es nicht möglich, die Umstellung langsam oder nach und nach anzugehen.

Doch nicht nur das: Jede Unterbrechung der Diät unterbricht auch den Heilungsprozess und kann jeden bereits erreichten Fortschritt auf einen Schlag zunichtemachen. Deshalb muss ich – muss jeder mit einer Zöliakie – die Ernährung nicht nur unverzüglich umstellen, sondern die glutenfreie Diät auch ununterbrochen und strengstens für den Rest des Lebens einhalten.

Warum ist eigentlich von einer Diät die Rede, die Zöliakie hat doch nichts mit Abnehmen zu tun? Das hat sie natürlich nicht, eine Diät aber auch nicht unbedingt. Das Wort *Diät* geht zurück auf das griechische Wort *díaita*, bedeutet im Deutschen *Lebensart* und steht für eine auf gewisse Bedürfnisse abgestimmte Ernährungs- und Lebensweise. Bei der Zöliakie ist es eben die glutenfreie Ernährungsweise.

Nun ist die – gefühlt schier endlos – lange Liste der bei der glutenfreien Diät verbotenen Speisen und Getränke bei weitem nicht die einzige schlechte Nachricht. Es wäre schön, wenn es mit dem Weglassen von Brot und Brötchen, Kuchen und Keksen, Pizza, Nudeln und Pasta, angedickten Suppen und Soßen, Frikadellen und panierten Schnitzeln oder Bier getan wäre. Allerdings sind für mich leider nicht allein die Lebensmittel gefährlich, die ganz offensichtlich eine glutenhaltige Zutat oder weniger offensichtlich einen glutenhaltigen Hilfsstoff enthalten. Eine weitere Gefahr ist das Gluten, das bei der Verarbeitung und Herstellung, beim Ab- und Verpacken, Lagern, Zubereiten oder Anrichten ohne jede Absicht in ein Lebensmittel gelangt. Dieses unabsichtliche Hineingelangen ist die Verunreinigung eines Lebensmittels durch einen fremden Stoff: Eine Kreuzkontamination. Auf die Kreuzkontaminationen werde ich ständig stoßen. Auf sie stoßen alle Zöliakiebetroffenen ständig, denn sie sind mit die am weitesten verbreiteten Gefahren in der Welt der Zöliakie.

Eine ganze Reihe von Speisen darf ich also nicht oder nicht mehr essen und von Getränken nicht mehr trinken. Und auf eine Kreuzkontamination – folgend verwende ich nur noch das kürzere Wort *Kontamination* – muss ich auch achten. Kaum habe ich mich damit einigermaßen abgefunden, wartet schon das nächste Problem und das ist ein weiteres großes, was mir einen Teil meines Lebens mit Zöliakie ganz besonders schwer machen wird: das fremdzubereitete Essen aus der Küche einer anderen Person.

Das Problem ist deshalb so groß, weil es nicht nur die Küchen von Angehörigen oder Freunden betrifft, sondern so gut wie jede fremde Küche. Denn wie sieht es aus mit den glutenhaltigen Produkten und Zutaten oder möglichen Kontaminationen in einer Kantine, Mensa oder Kita- und Schulküche? Wie in den Küchen der Krankenhäuser oder Pflegeeinrichtungen? In denen der Jugendherbergen und Schullandheime? Wie in den Küchen der Bars, Bistros oder Cafés, Caterer, Eisdielen, Ferienclubs, Foodtrucks, Gaststätten und Gasthäuser, Hotels, Imbissbuden, Kneipen oder Restaurants?

Ich kann es schlichtweg nicht wissen. Da Unwissenheit allerdings bekanntlich nicht vor Schaden schützt, stellt jeder dieser Orte für mich in Bezug auf das Essen erst einmal eine Gefahr dar.

Beschwerdefreies Leben oder hohe Lebensqualität?

Und jetzt? Essen, Essengehen, Ausflüge, Feste feiern, Wegfahren, Verreisen – irgendwie macht das alles gerade keinen Spaß mehr. Nach dem Bewusstwerden der Auswirkungen der Zu-tun-und-zu-lassen-Liste kann durchaus das Gefühl entstehen, jede normale – nur leider glutenhaltige – verzehrbare Köstlichkeit werde gerade durch eine glutenfreie Zitrone ersetzt, in die erst hinein- und dann darauf herumgebissen werden muss. Was vor der Zöliakie mein Lieblingsitaliener oder Lieblingsimbiss war, ist jetzt ein Risikobereich.

Wer will es einem da verübeln, wenn die einstige Unternehmungslust einem Lasst-mich-doch-in-Ruhe-Gefühl weicht?

»Wir leben nicht, um zu essen, sondern wir essen, um zu leben.« Das hat einst der griechische Philosoph Sokrates gesagt.

Ob ich will oder nicht, rücken mit der Zöliakie die Lebensmittel und das Essengehen ein gutes Stück weiter ins Zentrum meines Lebens, als es sonst üblich und mir auch lieb ist. Immerhin beschäftigt mich das Leben ohne Gluten mit der glutenfreien Diät bei jedem Essen zu jeder Tages- und Nachtzeit.

Dabei liegt es förmlich in der Natur der Sache, dass bei den ersten Schritten in der Welt der Zöliakie und zu Beginn des glutenfreien Lebens das steht, was ich anders zu tun oder auch gänzlich zu lassen habe. Also ist es wenig überraschend, wenn meine bisherige Welt aus den Fugen gerät.

Vielleicht bricht für jemanden, der bislang besonders auf eine gesunde Ernährung mit vielen Vollkornprodukten geachtet hat, auch eine kleine Welt zusammen, wenn ausgerechnet wegen als gesund geltenden Lebensmitteln eine solch komplexe und verschiedene Bereiche des Lebens umfassende Erkrankung auftritt. Schließlich hat man doch nichts falsch gemacht. Oder?

Nun will ich mich gar nicht erst mit Zweifeln oder Hadern aufhalten. Von den schlechten Nachrichten zu Beginn des glutenfreien Lebens darf ich mich nicht verunsichern oder gar entmutigen lassen. Und mit meiner bisherigen Ernährungsweise habe ich – hat jeder Zöliakiebetroffene – auch nichts falsch gemacht.

Also zumindest nicht in Bezug auf die Zöliakie, denn gegen sie gibt es keine Vorbeugung. Ihr Auftreten lässt sich nicht verhindern. Deshalb spielt es auch keine Rolle, ob ich mich vor meiner Diagnose von Obst, Gemüse, Salat, Hülsenfrüchten, Nüssen, Slow- und Superfood ernährt habe oder nur von Fertiggerichten in Konservendosen und Fastfood.

Es ist nun mal so, dass das Leben mit einer Erkrankung, die die Nahrungs-, Genuss- und Lebensmittel betrifft, weit über das Meiden einzelner Produkte und deren Verzehr zur Aufnahme lebenswichtiger Nährstoffe hinausgeht, weil das Essen und Trinken weit mehr ist als die Summe der Lebensmittel, die ich zur Gesunderhaltung des Körpers täglich zu mir nehme.

Das gemeinsame Essen ist in unserer Gesellschaft ein zentrales soziales und kulturelles Element, bei dem nicht nur die Menge der zur Verfügung stehenden Lebensmittel, sondern auch deren Wertigkeit sowie die Art und Weise der Nahrungsaufnahme eine wichtige Rolle für unsere Lebensqualität und unser Wohlbefinden spielen.

Durch die Zöliakie wird die Teilnahme an diesem recht sensiblen Bereich des gesellschaftlichen Zusammenlebens gestört. Für mich als Zöliakiebetroffenen gilt es aufzupassen, dass die Teilnahme nicht unterbrochen oder gar abgebrochen wird. Schnell fühlt man sich ausgegrenzt, als Außenseiter oder Ansteller und schlägt aus Angst vor dem Essen oder dem unguten – und von anderen vielleicht als unhöflich empfundenen – Gefühl des höflichen Ablehnens und Neindanke-Sagens bei angebotenen Speisen oder Getränken von vornherein jede Einladung aus.

Damit es nicht so weit kommt, müssen gleich nach der Diagnose die Weichen für das neue glutenfreie Leben so gestellt werden, dass aus den genannten Szenarien keine Probleme entstehen. Ja, das ist manchmal viel einfacher gesagt als getan. Oftmals hapert es bereits am Einstieg in das neue Leben: dem Akzeptieren der Erkrankung.

Neben einer ärztlichen Beratung ist das Wissen über das sicher glutenfreie Leben eine große Hilfe bei der Bewältigung von Sorgen und eventuellen Ängsten. Mit dem erarbeiteten Wissen wird viel mehr als nur das Know-how erworben, welche Speisen und Getränke gegessen und getrunken werden dürfen und in welcher Alltagssituation außerhalb der eigenen vier Wände welches Risiko besteht. Mit dem erarbeiteten Wissen wird Sicherheit erworben.

MERKE: *Ein beschwerdefreies Leben mit Zöliakie und eine – weiterhin – hohe Lebensqualität schließen sich nicht aus.*

Ein- und zweideutige Kennzeichnungen

Die ersten Informationen über die Zöliakie und die glutenfreie Diät habe ich zusammengetragen. Jetzt muss ich eine Antwort auf die Frage finden, wie das glutenfreie Leben funktioniert. Ganz gleich welche Frage oder wie viele Fragen ich mir dabei stelle – sie alle laufen letztendlich auf eine zentrale Fragestellung hinaus: *Ist mein Essen sicher glutenfrei?*

Auch wenn das eine klassische Ja-Nein-Frage ist, ist das dennoch keine Frage, die sich einfach mit *Ja* oder *Nein* und schon gar nicht mit *vielleicht* oder einem salomonischen *„es kommt darauf an"* beantworten lässt. Es ist die Frage, ob und wie sicher ich vor einer glutenhaltigen Zutat in meinen Speisen und Getränken sowie vor den jederzeit möglichen Kontaminationen geschützt bin. Nur gibt es einen solchen Schutz so ohne weiteres nicht und ihn sich zu erarbeiten, ist der Schlüssel zu einem sicher glutenfreien Leben.

Beim ersten Einkauf im Supermarkt waren die unterschiedlichen Kennzeichnungen und Hinweise auf den Verpackungen der Lebensmittel irritierend. Es war nicht eindeutig, was sie bedeuten und wofür sie stehen. Lese ich auf den Webseiten der Zöliakiegesellschaften – von welcher Gesellschaft spielt keine Rolle – noch einmal die Informationen über die Lebensmittel nach, erfahre ich mehr über glutenhaltige und glutenfreie Getreide, über glutenhaltige und glutenfreie Zutaten und Hilfsstoffe sowie glutenhaltige und glutenfreie Lebensmittel, aber auch etwas über ein *Nicht-mehr-als-20-Milligramm-Gluten.* Und zum Symbol der durchgestrichenen Ähre – das ist übrigens das Glutenfrei-Symbol – heißt es, dass es in Bezug auf die Glutenfreiheit der Lebensmittel für jeden Zöliakiebetroffenen beim Einkaufen Klarheit schaffe.

Ganz so klar und eindeutig sind die Dinge dann aber leider doch nicht, weil sie nicht klar und eindeutig geregelt sind. Schaue ich zum Beispiel die verwendeten Begriffe *glutenfrei* und *Gluten* in einem handelsüblichen Nachschlagewerk nach, stelle ich fest, dass nicht jeder Begriff mit den allgemeinen Definitionen übereinstimmt und bezogen auf die glutenfreien Lebensmittel eher eigenwillig verwendet wird. Beispielsweise der Begriff *glutenfrei.* Das Wort ist ein Adjektiv, ein Eigenschaftswort. Folglich steht es dafür, dass etwas eine Eigenschaft hat und beim Adjektiv *glutenfrei* ist es die Eigenschaft, *frei von Gluten* oder *ohne Gluten* zu sein.

So sieht das zumindest die für ihr Sprachwissen bekannte Redaktion des *Digitalen Wörterbuchs der deutschen Sprache* von der Berlin-Brandenburgischen Akademie der Wissenschaften. So sehen es – wie sich gleich zeigen wird – aber nicht die Verfasser der Vorschriften des Lebensmittelrechts. Die geben allerdings die Kennzeichnungen und Hinweise auf den Verpackungen der Lebensmittel vor, die im Supermarkt nicht unbedingt verständlich sind.

Nun ist ein Begriff immer dann unklar, wenn er in seiner Bedeutung nicht eindeutig festgelegt ist oder in verschiedenen Bereichen mit einer unterschiedlichen Bedeutung verwendet wird. Eine *Bank* ist zum Sitzen da oder zum Geldanlegen, ein *Ton* ist ein Klang oder ein Material. Und so müssen auch mit dem Begriff *Gluten* ein Arzt, ein Biochemiker und ein Bäcker nicht zwangsläufig dasselbe meinen. Einmal ist Gluten ein potentieller Auslöser einer Erkrankung, einmal eine Ansammlung von Aminosäuren in Getreiden und einmal ein Merkmal, das die Backfähigkeit von Teigen beschreibt.

Die Unterschiede in der Verwendung sorgen nicht nur für Verwirrung, sie können bei einer falschen Zuordnung oder Auslegung zu einer ebenso falschen Schlussfolgerung führen. Wird etwa die Bezeichnung *Gluten* allein mit dem Getreide Weizen in Verbindung gebracht, heißt es plötzlich, Gluten sei gleich Weizen. Oder die Eigenschaften des Glutens – zu denen komme ich im nächsten Kapitel – werden vermischt, wodurch es Getreide mit Gluten und Getreide ohne Gluten geben soll.

Damit es nicht zu Mehrdeutigkeiten, Unklarheiten und fraglichen oder falschen Zuordnungen und Schlussfolgerungen kommt, muss ein Begriff und seine Verwendung in den jeweiligen Fachbereichen einheitlich und eindeutig festgelegt sein, aber auch über die Fachbereiche hinaus einheitlich und eindeutig verwendet werden. So wird sich etwa für die Verbindung von Gluten und Weizen herausstellen, dass Gluten nicht allein dem Weizen gleichgesetzt werden kann. Ebenso gibt es kein Getreide, das kein Gluten enthält. Dementsprechend muss sich die Unterscheidung zwischen einem glutenhaltigen und einem glutenfreien Getreide aus einem ganz anderen Zusammenhang ergeben.

Die Problematik der Mehrdeutigkeit und fraglichen Zuordnung und Schlussfolgerung geht so weit, dass sich Regelungen für glutenfreie Lebensmittel finden, die alles andere als eindeutig sind, wodurch es zu guter Letzt sogar Produkte gibt, die in einem Land als glutenfrei angeboten und verkauft und in einem anderen Land nicht als glutenfrei bezeichnet werden dürfen.

Wie es so schön heißt, staunt da der Fachmann, während der Laie sich wundert. Mir kommt allerdings – aus der Sicht eines Zöliakiebetroffenen – die Frage in den Sinn, wie das möglich ist und welcher Regelung oder Empfehlung ich dann folgen soll.

»Es gibt nur ein einziges Gut für den Menschen: die Wissenschaft. Und nur ein einziges Übel: die Unwissenheit.« Das hat Sokrates, der griechische Freund der Weisheit, ebenfalls gesagt.

Nun muss ich wegen meiner Zöliakie nicht gleich ein Studium der Biochemie oder Medizin aufnehmen oder Wissenschaftler und Forscher werden. Zu viel Unwissenheit sollte ich mir allerdings auch nicht leisten. Immerhin ist die Zöliakie keine Lebensmittelallergie, die mit der Zeit schwächer und schwächer wird oder gar irgendwann ganz verschwindet, weil der Körper doch von selbst wieder eine Toleranz entwickelt.

Damit ich die im jeweiligen Kontext verwendeten Bezeichnungen rund um die Lebensmittel sowie die Folgerungen aus den jeweiligen Definitionen und Festlegungen richtig verstehe und zuordne, ist es unumgänglich, dass ich mich auf kurze Ausflüge in die entsprechenden Fachbereiche begebe.

Das Getreide ist Teil der Botanik, Gluten der biologischen Chemie, meine Erkrankung betrifft die Medizin, die Ernährungsberatung die Oecotrophologie oder Ernährungswissenschaft und die Gesetze und Verordnungen zu den Lebensmitteln kommen aus der – von der Industrie und Wirtschaft beeinflussten – Politik sowie der Gesetzgebung. Dazu hat jeder Bereich seine eigene, teils spezielle Fach- oder Behördensprache, was das Verstehen der Inhalte auch nicht gerade vereinfacht.

Zunächst schaue ich, welche Begriffe und Regelungen da und vorgegeben sind. Anschließend, wie die Begriffe und Regelungen zusammenhängen. Trotz des nicht vermeidbaren Aufwandes lohnt es sich, den Weg zu gehen, denn an seinem Ende steht das angesprochene Know-how – das Wissen, das aus einem glutenfreien Leben ein sicher glutenfreies Leben macht.

Und wie kann ich mich mit dem Know-how im Alltag schützen? Wie gehe ich am besten mit den Einschränkungen um, ohne dass sich meine Lebensqualität verschlechtert?

In der Welt der Zöliakie lauern zweifelsohne viele Gefahren und es wäre naiv zu glauben, mein glutenfreies Leben verlaufe immer reibungslos. Die eine oder andere Einschränkung ist unvermeidlich. Doch wenn ich das Funktionieren der Mechanismen im glutenfreien Leben richtig verstehe und jeden wirklichen wie auch möglichen Glutengehalt in den Speisen und Getränken sowie das Risiko einer Kontamination sicher einschätzen kann, meide ich nicht aus Sorge vor Beschwerden oder schlimmeren Folgen mehr Lebensmittel, als es ohnehin nötig ist.

Ich nehme es vorweg: Alles in allem ist die Welt der Zöliakie nicht grau und trist – und so schlimm, wie die Dinge auf den ersten Blick scheinen mögen, sind sie nicht.

Aber der Reihe nach.

Was Gluten ist

Bei der Zöliakie dreht sich alles um das ständig erwähnte Gluten und dessen schädliche Wirkung. Doch was ist Gluten eigentlich? Wo kommt es her, wo oder worin kommt es vor? Wieso steckt es in so vielen Lebensmitteln und warum kann sein Verzehr für einen Menschen schädlich sein?

Das Wort *Gluten* – im lateinischen Original mit langem U und im Deutschen mit kurzem U und betontem E in der Aussprache – ist ein Fachbegriff aus der biologischen Chemie oder Biochemie. Das ist die Wissenschaft, in der nach den chemischen Zusammensetzungen und Lebensvorgängen der Organismen geforscht wird und die diese Vorgänge erklärt.

In der Biochemie steht der Begriff Gluten für einen Proteinkomplex, der sich als natürlicher Stoff in den Samen der Getreidepflanzen findet. Wie die Definition genau aussieht, schlage ich in einem Fachwörterbuch nach und schaue – wertfrei ausgesucht – in das *RÖMPP Lexikon Lebensmittelchemie*, in dem in der zweiten Auflage von 2006 unter dem Stichwort *Gluten* steht, dass es sich um einen wasserunlöslichen Komplex von Proteinen im Mehlkörper der Getreide handelt.

> *„(Klebereiweiß, -protein). Sammelbezeichnung für den wasserunlöslichen Proteinkomplex, der im Mehlkörper bestimmter Getreidesamen [...] die Stärkekörner umgibt."*

Ein *Komplex* ist die Ansammlung eines Stoffes oder verschiedener Stoffe – ein Verbund. Beim Gluten handelt es sich also um eine Ansammlung chemischer Verbindungen in einer Getreidepflanze, einen aus mehreren Bausteinen zusammengesetzten Verbund. Mit den *Getreidesamen* sind die Körner der Pflanzen gemeint.

Was aber ist ein Protein und welche Pflanzen gehören zu den Getreiden? Zunächst schaue ich auf die Getreide.

In der Botanik – der Pflanzenkunde – steht das Wort *Getreide* für die Kulturpflanzen – sie sind eine Züchtung oder Auslese aus verschiedenen Wildarten – aus der botanischen Familie der Süßgräser mit dem wissenschaftlichen Namen *Graminae*. Die Getreidepflanzen werden – unter anderem im *RÖMPP Lexikon Lebensmittelchemie* – mit Gerste, Hafer, Mais, Reis, Roggen, Sorghum und anderen Hirsearten sowie Weizen in sieben Hauptgattungen unterschieden.

> *„Zu den Getreiden rechnet man diejenigen Gräser, die wegen ihrer essbaren Früchte angebaut werden. [...] Von wesentlicher Bedeutung sind Weizen, Reis, Mais, Roggen, Gerste, Hafer, Sorghum u. a. Hirse-Arten.“*

Auf der Webseite der Zöliakiegesellschaft der Deutschen Schweiz war bei den glutenhaltigen Getreiden auch von Dinkel und Grünkern die Rede. Sie sind Unterarten, genauer des Weizens, wie auch Einkorn, Emmer oder Zweikorn, Hart- und Weichweizen oder Wildemmer.

Proteine sind die elementaren Bausteine allen Lebens. Laut dem *RÖMPP Lexikon Lebensmittelchemie* handelt es sich jeweils um Verbindungen – Polymere oder Copolymere in der Fachsprache –, die aus verschiedenen Aminosäuren bestehen. Ein *Polymer* ist ein aus vielen beziehungsweise vielen gleichen Makromolekülen bestehender chemischer Stoff, ein *Copolymer* ein aus verschiedenartigen Einheiten zusammengesetztes Polymer.

> *„(Eiweiß, Eiweißstoffe) [...] gebräuchliche und von griechisch ‚der Erste sein‘ abgeleitete Sammelbezeichnung für natürlich vorkommende Copolymere, die sich in der Regel aus 20 verschiedenen α-Aminosäuren als Monomere zusammensetzen. [...] Ab etwa 100 Monomer-Einheiten [...] spricht man meist von Proteinen.“*

Einfacher gesagt ist ein Protein ein Makromolekül, eine aus mehreren Atomen bestehende Verbindung, die aus Aminosäuren – von denen mehrere hundert existieren – aufgebaut ist und allgemeinsprachlich als Eiweiß bezeichnet wird.

Das also sind die einzelnen Bausteine des Proteinkomplexes, der für das Gluten steht. In einer Getreidepflanze befindet er sich im Mehlkörper und der wiederum im Korn der Pflanze.

Der Aufbau der Körner ist bei den Getreiden ähnlich. Die Schale ist die äußere Schutzschicht, die das Korn zusammenhält, darunter liegen die nähr- und ballaststoffreichen Frucht- und Samenschalen, die den Keimling mit der Anlage für die neue Pflanze und den aus Stärke und Proteinen bestehenden Mehlkörper umschließen. In dem Mehlkörper sind dann auch die besagten Proteinkomplexe enthalten, die wiederum aus verschiedenen Gruppen von Stoffen bestehen – aus Fraktionen.

Die von mir gesuchten Proteinkomplexe der Getreide finden sich in vier Fraktionen: Albuminen, Globulinen, Prolaminen und Glutelinen. Je nach Getreidesorte haben sie teils eigene Bezeichnungen, wie *Avenin* für das Prolamin des Hafers, *Hordein* für das der Gerste, *Secalin* für das des Roggens oder *Gliadin* für das des Weizens. Auf einige diese Bezeichnungen werde ich noch des Öfteren stoßen.

Später wird noch eine Rolle spielen, dass die Albumine, Globuline und Prolamine durch eine Extraktion – ein Herausziehen mit Wasser, Kochsalzlösung oder Ethanol – aus einem Verbund oder einer Fraktion gelöst werden können, nicht aber die Gluteline. Sie sind grundsätzlich nicht herauslösbar.

Albumine   mit Wasser aus dem Verbund herauslösbar
Globuline   mit einer Kochsalzlösung aus dem Verbund herauslösbar
Prolamine   mit 70-prozentigem Ethanol aus dem Verbund herauslösbar
Gluteline   nicht aus dem Verbund herauslösbar

Die Fraktionen in den Getreidepflanzen entschlüsselt Anfang des 20. Jahrhunderts der Biochemiker Thomas Osborne, weshalb sie auch Osborne-Fraktionen genannt werden. Ihre Verteilung in den sieben Hauptgetreidegattungen ist im *RÖMPP Lexikon Lebensmittelchemie* wie folgt aufgeführt:

in %	Albumin	Globulin	Prolamin	Glutelin
Gerste	12,1	8,4	25,0 *Hordein*	54,5 *Hordenin*
Hafer	20,2	11,9 *Avenalin*	14,0 *Avenin*	53,9
Hirse	18,2	6,1	33,9 *Kafirin*	41,8
Mais	4,0	2,8	47,9 *Zein*	45,3 *Zeanin*
Reis	10,8	9,7	2,2 *Oryzin*	77,3 *Oryzenin*
Roggen	44,4	10,3	20,9 *Secalin*	24,5 *Secalinin*
Weizen	14,7 *Leukosin*	7,0 *Edestin*	32,6 *Gliadin*	45,7 *Glutenin*

Und das ist dann das gesuchte Gluten: ein Proteinkomplex in den Körnern der Getreidepflanzen, der aus Albuminen, Globulinen, Prolaminen sowie Glutelinen besteht. Mir als Laien sagen die Fachbezeichnungen oder Verteilungen der Fraktionen freilich nichts – und das müssen sie auch nicht. Sie sind aber ein wichtiger Baustein im Gesamtbild der Zöliakie. Der Arzt erwähnte bei der Erklärung zur Diagnose unter anderem *Antikörper gegen Gliadin*. Jetzt weiß ich, dass das Gliadin eine Glutenfraktion des Weizens ist.

Der Proteinkomplex des Glutens wird auch als Klebereiweiß bezeichnet, weil das aus dem Griechischen stammende Wort *Protein* im Deutschen *Eiweiß* und das lateinische Wort *Gluten* im Deutschen *Leim* heißt, allgemein aber im Sinn von *Kleber* verwendet wird.

Ebenso ist damit geklärt, dass die allgemeine Verwendung des Begriffs *Gluten* wie auch die immer wiederkehrende Behauptung, es würde Getreidesorten mit und welche ohne Gluten geben, so nicht stimmen kann. Die Unterteilung der Getreide in glutenhaltig und glutenfrei muss einen anderen Hintergrund haben. Wie gesagt: Ein Begriff ist immer dann unklar, wenn er nicht einheitlich verwendet wird oder einheitlich definiert ist.

Doch warum ist das Gluten der Getreide bei der Lebensmittelherstellung oder -verarbeitung so begehrt?

Obwohl ein ausgereiftes Getreidekorn laut dem Lexikon *Brockhaus Ernährung* in der vierten Ausgabe von 2011 in den Randschichten hochwertiges Eiweiß und Fette, die Vitamine B1, B2 und E sowie Mineralstoffe wie Eisen, Kalium, Mangan, Phosphor und Zink enthält, ist der Nährwert des Glutens gering. Genau genommen ist der Nährwert des Mehls gering, da die nährstoffhaltigen Randschichten des Korns bei der Verarbeitung abgeschält werden. Dadurch verbleiben kaum nährstoffrelevante Inhaltsstoffe im Mehl, sondern nur Stärken und Proteine. *Stärke* ist übrigens ein pflanzlicher Speicherstoff, der zu den Kohlenhydraten zählt.

Den Lebensmittelherstellern geht es aber auch gar nicht um die Nährstoffe der Mehle, für sie sind die funktionalen Eigenschaften des Glutens viel interessanter. Wie etwa die Backfähigkeit: Das im Mehl enthaltene Gluten ist beim Backen der Verbinder, der in Kombination mit Wasser einen Teig zuerst aufgehen lässt, dann fest- und schließlich zusammenhält.

Am besten funktioniert das mit den Weizenmehlen. Gemeinsam mit Fetten sorgen ihre Proteine bei Teigwaren aller Art für eine einzigartige Elastizität, Knet- und Dehnbarkeit. Backfähig ohne größere Einschränkung sind auch Dinkel- und Roggenmehle, mit Abstrichen Hafermehle. Ein Mehl aus Gerste hat dagegen so gut wie gar keine Backfähigkeit.

Dass so viele andere Lebensmittel, die eigentlich nichts mit Teigen oder Mehlen zu tun haben, dennoch glutenhaltige Zutaten enthalten, liegt an den anderen Eigenschaften des Glutens, die es zu einem begehrten Hilfs- oder Zusatzstoff machen. So werden insbesondere Weizenmehl, Weizenstärke oder Gerstenmalzextrakt häufig als Füllmittel, Träger von Geschmacksverstärkern, Farbgeber oder Kleber für Aromapulver eingesetzt.

Die erwünschten Eigenschaften des Glutens sind allerdings nicht nur bei den Lebensmittelherstellern begehrt. In der Gastronomie und wohl jedem klassischen Haushalt wird beim Backen und Kochen nicht groß darüber nachgedacht, aber bei so gut wie jedem Andicken oder Binden einer Suppe oder Soße, beim Mehlieren eines Stücks Fleisch oder Fisch und natürlich bei jedem Anrühren eines Teiges nichts anderes als Klebereiweiß verwendet – sprich Gluten.

• • • • •

Die gerade aufgeführten sieben Hauptgattungen der Getreide gehören botanisch zu der Familie der Süßgräser und werden auch als *echte Gräser* bezeichnet. *Unechte Gräser* sind die Pflanzen, die ebenfalls Körner tragen, aber zu anderen botanischen Familien gehören und deshalb auch Pseudogetreide genannt werden.

Zu diesen Pseudogetreiden gehören der *Amarant* aus der Familie der Fuchsschwanzgewächse, der *Buchweizen* von den Knöterich- sowie die *Quinoa* und *Canihua* von den Gänsefußgewächsen. Je nach Aus-legung und Definition sind *Chia-* und *Leinsamen* weitere Pseudogetreide.

Wann und wen
Gluten krankmacht

Jetzt hat Gluten neben seinen erwünschten Eigenschaften auch unerwünschte und durch die kann ein Mensch nach dem Verzehr eines glutenhaltigen Produkts erkranken. Für einen Zöliakiebetroffenen ist das natürlich keine Neuigkeit, er weiß das allerspätestens seit seiner Diagnose.

In der Medizin wird der Begriff *Gluten* für die Proteine und Proteinfraktionen verwendet, die in der Lage sind, bei einem Menschen eine Erkrankung wie die Zöliakie auszulösen. Diese schädliche Wirkung wird als *Zöliakiepotential* bezeichnet. Nicht jede Glutenfraktion hat aber eine schädliche Wirkung. Das hängt davon ab, zu welchem Stamm die Pflanze in der Familie der Getreide gehört.

Getreidefamilie und -gattungen

FAMILIE				Graminae				
UNTERFAMILIE		Pooidae		Bambusoideae			Panicoideae	
STAMM		Triticeae	Aveneae	Oryzeae		Paniceae		Andropogoneae
GATTUNG	Triticum	Secale	Hordeum	Avena	Oryza	Pennisetum	Zea	Sorghum
	Weizen	Roggen	Gerste	Hafer	Reis	Hirse	Mais	Sorghum

Wie es um das Zöliakiepotential der Getreide bestellt ist, fasse ich nachfolgend stark vereinfacht und verkürzt hauptsächlich aus dem Beitrag »*The Gluten-Free Diet: Testing Alternative Cereals Tolerated by Celiac Patients* ⇆ *Die glutenfreie Diät: Prüfung von alternativen Getreidesorten, die von Zöliakiepatienten vertragen werden*« von Isabel Comino [*et al.* ⇆ *und andere*] aus der Oktoberausgabe von 2013 des Fachjournals *Nutrients* zusammen.

Die Getreide **Gerste, Roggen** und **Weizen** gehören in der Familie der Pooidae zum Stamm der Triticeae. Ihre Glutenfraktionen und davon speziell die Prolamine verfügen über das größte Potential, eine Erkrankung auszulösen. Mit zu den qualifiziertesten Gruppen der krankheitsantreibenden Proteinfraktionen gehören die Prolamine des Weizens: das Gliadin. Zwar ist der Aufbau des Hordeins in der Gerste beziehungsweise Secalins im Roggen etwas anders gewichtet, er stimmt aber weitgehend mit dem Gliadin überein. Somit haben die Getreide vom Stamm der Triticeae mit ihren Unterarten, Sorten und Kreuzungen das größte Zöliakiepotential.

Die Glutenfraktionen des Weizens können zudem eine immunologische Reaktion einer gastrointestinalen – *eine den Magen-Darm-Trakt betreffende* – Weizenallergie auslösen.

Der Saathafer oder **Hafer** zählt mit Gerste, Roggen und Weizen zu einer Unterfamilie, aber zum Stamm der Aveneae. Dennoch hat auch er als enger Verwandter der Triticeae ein Zöliakiepotential, wobei sein Verzehr nicht generell eine Autoimmunreaktion auslöst. Nicht vollständig geklärt ist derzeit, warum das so ist. Ein möglicher Grund wird im unterschiedlichen Aufbau der Proteinketten des Prolamins Avenin und der Verteilung der Peptide – ein Peptid ist ein Teilstück einer Proteinkette – im Unterschied zu den Triticeae, aber auch den verschiedenen Hafersorten gesehen.

Reis, Hirse – Hirse ist ein Sammelbegriff für sämtliche Arten von Sorghum und Millethirsen – und **Mais** sind nicht direkt verwandt mit den Triticeae. Da ihre Prolamine anders aufgebaut sind und keine krankheitsauslösenden Proteinsequenzen enthalten, haben Hirse und Reis mit ihren Arten und Sorten gesichert kein Zöliakiepotential.

Auch der Mais hat recht gesichert kein Zöliakiepotential. Die kleine Einschränkung ist dem Umstand geschuldet, dass sein Verzehr in seltenen Fällen zu Beschwerden im Magen-Darm-Trakt führt. Als Auslöser werden bestimmte Peptide im Prolamin Zein vermutet, die in wenigen Sequenzen denen der Weizenproteine ähneln. Was nach deren Zerlegung im Darm passiert und ob die daraus resultierende Problematik eine glutenbedingte ist, ist nach dem derzeitigen Stand der Forschung allerdings spekulativ.

• • • • •

Das Gluten mit einem Zöliakiepotential kann also einen Menschen krankmachen. In dem Fall wird durch den Verzehr eines glutenhaltigen Lebensmittels durch das Gluten eine Allergie, Autoimmunerkrankung, Unverträglichkeit oder Intoleranz ausgelöst.

Es ist gar nicht so einfach, die Begriffe *Allergie*, *Autoimmunerkrankung*, *Intoleranz* und *Unverträglichkeit* auseinanderzuhalten, aber auch nicht dramatisch, sie durcheinanderzuwerfen.
- Eine *Allergie* ist eine übermäßige Reaktion des Körpers auf einen Stoff, den das Immunsystem für fremd hält – das Allergen.
- Die Begriffe *Intoleranz* und *Unverträglichkeit* sind bedeutungsgleich und stehen für eine enzymmangelbedingte Reaktion auf einen bestimmten Stoff in einem Lebensmittel, etwa Laktose oder Fruktose.
- Bei einer *Autoimmunerkrankung* richtet sich das Immunsystem nicht gegen einen dem Körper von außen zugeführten Stoff, sondern körpereigene Strukturen, etwa bestimmte Zellen oder Gewebe.

Kann krankmachen heißt, dass der Verzehr eines glutenhaltigen Lebensmittels nicht generell eine Erkrankung auslöst. Es müssen bestimmte Bedingungen erfüllt sein, damit das Gluten schädlich wirkt.

Was aber passiert, wenn das Gluten wegen seiner schädlichen Wirkung einen Menschen krankmacht und welche glutenbedingten Erkrankungen sind bislang bekannt? Diese Fragen können Medizin und Forschung weitgehend, aber noch nicht lückenlos beantworten.

Die **Zöliakie** ist eine glutenbedingte Autoimmunerkrankung. Die Anzahl der von ihr Betroffenen liegt zwischen einem und, da viele Erkrankungen unentdeckt bleiben, geschätzten fünf Prozent der Bevölkerung. Erkranken können in der Regel nur Menschen mit einer genetischen Prädisposition – einer erblichen Vorbelastung.

HLA-DQ2 und HLA-DQ8 heißen die Antigene – genauer handelt es sich um Oberflächenrezeptoren – die den meisten Zöliakiebetroffenen vererbt wurden und die mit dafür verantwortlich sind, dass die Zöliakie auftreten kann. Und vielleicht werden die Antigene – nur deshalb erwähne ich es – an die nächste Generation weitergegeben. Das ist aber kein Muss und auch wenn es so ist, tritt in der nächsten Generation nicht zwangsläufig eine Zöliakie auf.

Was passiert, wenn ein Betroffener ein Lebensmittel aus oder mit einem Getreide mit einem Zöliakiepotential isst? Das ist der letzte, aber auch entscheidende Baustein zum Verstehen und Akzeptieren der Zöliakie. Allerdings ist das Nachvollziehen der Vorgänge nicht so einfach, da nicht nur ein krankheitsauslösender Faktor zu beachten ist, sondern gleich mehrere Faktoren in verschiedenen Abläufen ineinandergreifen.

Die Zusammenhänge sind so kompliziert, dass es der Medizin bis heute nicht gelungen ist, die Erkrankung vollständig zu erforschen. Dabei ist die Zöliakie keineswegs neu, eine erste Beschreibung wird dem im 2. Jahrhundert praktizierenden griechischen Arzt *Aretaios von Kappadokien* zugeschrieben, der bei seinen Patienten bereits von *koiliakós* sprach: einem *an der Verdauung Leidenden*. Doch woran leiden die Zöliakiebetroffenen?

Der Verdauungsprozess beginnt bei uns Menschen im Mund und endet zwischen fünf- und siebeneinhalb Metern später im Mastdarm. Auf dem Weg von oben nach unten wird alles, was wir essen, schrittweise zerkleinert. In diesem System kommt dem Dünndarm eine besondere Rolle zu. In ihm zerlegen Enzyme die in Mund, Magen und Zwölffingerdarm vorverdauten Speisen in kleinstmögliche Einheiten – in Moleküle. Noch einfacher gesagt, werden Kohlenhydrate, Fette und Eiweiße in Einfachzucker, Fettsäuren und Aminosäuren umgewandelt. Aus den Molekülen werden die Nährstoffe gewonnen und über eine Austauschoberfläche mit gut vier Millionen Zotten – das sind fingerförmige Ausstülpungen an der Darmwand – durch die Darmwände mit der Lymphe – die Flüssigkeit der Lymphgefäße – und dem Blut in alle Teile des Körpers transportiert, wo sie als Energielieferant fungieren oder helfen, Proteine neu zu bilden.

Damit sich über diesen Weg keine ungebetenen Gäste wie Viren, Bakterien oder sonstige Fremdstoffe in den Körper einschleichen, wird die Verdauung von unserem Immunsystem überwacht. Die Überwachung ist rigoros: Das Immunsystem sortiert alles aus, was nicht Fett, Protein oder Zuckermolekül ist. Dafür verfügt es über Lymphozyten – weiße Blutzellen, die man sich als eine Art Hausarmee mit B- und T-Zellen vorstellen kann. Die T-Zellen sind aktive Fresszellen. Ihre Aufgabe ist es, die Abwehr zu organisieren und Eindringlinge direkt zu bekämpfen. Die B-Zellen kämpfen nicht. Sie sind Antigene, die über Botenstoffe alarmiert werden und unverzüglich Antikörper zur Bekämpfung der Eindringlinge herstellen.

Tag für Tag werden im Verdauungssystem so etliche Schlachten gegen unerwünschte Stoffe geschlagen und die meisten davon auch gewonnen. Nur den Kampf gegen die Glutenproteine, den verlieren die Zöliakiebetroffenen. Doch warum?

Das Verdauungssystem ist in der Lage, alle Zuckermoleküle und Fette vollständig zu zerlegen, aber nicht sämtliche Proteine. Die Prolamine und Gluteline der Glutenfraktionen lassen sich nicht so ohne weiteres aufbrechen, sie bleiben als Teilstücke – besagte Peptide – über Stunden unverdaut im Dünndarm liegen. Das ist an sich auch kein Problem. Es ist normal, dass die verzehrte Nahrung teils sehr lang im Dünndarm verbleibt, um mit Verdauungsenzymen und der

Darmoberfläche, die später die Nährstoffe aufnimmt, in Wechselwirkung zu treten. Grundsätzlich klassifiziert das Immunsystem die Proteine also als Freunde, die unverdaulichen Aminosäureketten sind ihm dann aber doch suspekt. Das Nichtverarbeiten irritiert das Immunsystem – und dabei bleibt es nicht.

Wie kann ich mir eine solche Proteinkette der Glutenfraktionen vorstellen? Besonders schädlich sind die Aminosäureketten des Gliadins im Weizen und von denen ganz besonders ein Alpha-Gliadin. Der griechische Buchstabe steht für eine von vier Verhaltensweisen, was gerade weniger interessiert. Das Alpha-Gliadin besteht aus 277 Aminosäuren in zehn unterschiedlich langen Proteinkettenstücken, sprich Peptiden. Eines der Peptide besteht wiederum aus 33 Aminosäuren in 6 Sequenzen – deshalb wird es auch 33-mer genannt – und gilt als Superauslöser einer aggressiven Reaktion der Immunzellen.

Was bei einer solchen aggressiven Reaktion im Darm ganz genau passiert, gehört wieder zu den nicht vollständig bekannten Vorgängen. Vermutet wird, dass die Gewebetransglutaminase – das ist ein Enzym – bei der Verdauung die Proteine des Glutens in mehrere Peptide aufspaltet und so unter anderem das 33-mer freisetzt. Jetzt kommt die erbliche Vorbelastung ins Spiel. Die freigesetzten Peptide docken an die HLA-DQ-Antigene an und bilden neue Zellkomplexe. Die sind in der Lage, sich an Lymphozyten zu binden, was zu einer vermehrten Bildung von Antikörpern gegen die Proteine, vor allem aber gegen körpereigene Antigene führt. Durch den Angriff auf die eigenen Zellen bilden sich schließlich die Entzündungen, die letztlich die Zotten und Krypten – das sind Einbuchtungen im Darmkanal – im Relief der Dünndarmschleimhaut schädigen. Und damit ist der Kampf gegen die Glutenproteine verloren.

Das 33-mer-Peptid im Alpha-Gliadin ist nur ein möglicher Auslöser einer Autoimmunantwort. Inzwischen sind mehrere Superauslöser bekannt, insgesamt konnten bereits mehr als fünfzig Peptide in den Getreiden identifiziert werden, die eine aggressive Reaktion der Immunzellen auslösen können. Dabei ist das Verlieren des Kampfes gegen das 33-mer-Peptid aber nicht das einzige Problem. Von den zehn Peptiden des 277er-Alpha-Gliadins sind fünf weitere Sequenzen in der Lage, Körperzellen absterben oder die Darmwand durchlässig werden zu lassen oder andere Immunzellen in den Darm umzulenken, was wiederum zu einer Autoimmunreaktion führt und weitere Entzündungsprozesse auslöst.

Kommen die Vorgänge einmal in Gang, kann ich das als Zöliakiebetroffener deutlich zu spüren bekommen. Ein aufgeblähter Bauch, heftige Bauchschmerzen, Übelkeit, Erbrechen und Durchfall werden als unmittelbar oder kurzfristig eintretende Beschwerden genannt.

Tritt eine Reaktion bei Babys oder im Kleinkindalter auf, zeigt sie sich meist mit Durchfällen, Appetitlosigkeit und anhaltender Übelkeit, aber auch Entwicklungs- und Wachstumsstörungen.

Die Zöliakie gilt allerdings als Systemerkrankung ohne klassische Sofortreaktion oder typische Symptome. Das heißt, dass sie in jedem Alter und mit einer uneinheitlichen Symptomatik, atypischen Symptomen – etwa Hautproblemen – und sogar auch ohne offensichtliche Beschwerden auftreten kann.

Das Ausbleiben von Beschwerden klingt nach einer eher positiven Begleiterscheinung, kann sich allerdings als durchaus gefährlich entpuppen. Große Probleme bei einer Zöliakie sind nämlich nicht nur die Entzündungen im Dünndarm, sondern auch durch die Entzündungsprozesse verursachten Begleit- und Folgeerscheinungen. Und ohne spürbare Beschwerden können die sich ungestört entfalten.

Die Schädigung der Darmzotten kann so weit gehen, dass eine Nährstoffaufnahme nicht mehr möglich ist. Dadurch kommt es zu einem immer größer werdenden Nährstoffdefizit, in dessen Folge überall im Körper Mangelerscheinungen – deshalb gilt die Zöliakie als Systemerkrankung – auftreten können, wie etwa eine Muskelschwäche, eine zu geringe Knochendichte oder Knochenschmerzen. Selbst Zahnschmelzdefekte sind möglich, nur wird kaum ein Zahnarzt auf die Idee kommen, dass dahinter kein übermäßiger Verzehr von Süßigkeiten oder Zucker stehen muss, sondern eine Zöliakie lauern kann.

Ebenso kann nicht ausgeschlossen werden, dass die Zöliakie durch die Botenstoffe der Entzündungen unmittelbar – also ohne ein auslösendes oder effektverstärkendes Nährstoffdefizit – einige der genannten Schädigungen auslöst oder verursacht.

Wie schon erwähnt, gibt es momentan keine Medikamente gegen die Zöliakie. Mit der glutenfreien Diät kann ich den Symptomen und Beschwerden aber entgegenwirken, da durch die glutenfreie Ernährung die Zöliakie förmlich inaktiv ist.

Mögliche Symptome bei Zöliakiebetroffenen

- Bauchschmerzen, Blähbauch, Durchfall, Erbrechen, Übelkeit
- Kopfschmerzen, Müdigkeit
- Gelenkschmerzen, Knochenschwund, Muskelschmerzen, Krämpfe
- Blutarmut, Gedeihstörungen, Gewichtsverlust
- Geschwülste, Haarausfall
- Mundschleimhautentzündungen, Zahnschmelzunterentwicklung
- Unfruchtbarkeit, wiederholter Abort

Zu den mit der Zöliakie oftmals auftretenden Begleit- oder Folgeerkrankungen gehört unter anderem die Milchzuckerunverträglichkeit oder Laktoseintoleranz. Sie stellt sich ein, wenn im durch die Zöliakie geschädigten Dünndarm das Enzym Laktase nicht mehr in ausreichender Menge hergestellt wird. Mit der Gesundung des Dünndarms durch die glutenfreie Diät geht die Laktoseintoleranz in vielen Fällen zurück, aber leider nicht immer. Bis sich das herausstellt, sollte die Ernährung gluten- und laktosefrei sein.

Andere mögliche Folgeerkrankungen sind oftmals ebenfalls Autoimmunerkrankungen, wie etwa Dermatitis herpetiformis Duhring, Hashimoto, Diabetes Typ 1 oder Autoimmunhepatitis. Diskutiert wird, inwieweit Fertilitäts- oder genetisch bedingte Entwicklungsstörungen wie das Down-Syndrom, Morbus Crohn oder eine Autismus-Spektrum-Störung mit der Zöliakie in Verbindung stehen. Gleiches gilt für die Frage, ob oder inwieweit ein erhöhtes Potential für die Bildung von Malignomen im Bereich von Speiseröhre oder Dünndarm besteht.

Die **gastrointestinale Weizenallergie** ist ebenfalls eine glutenbedingte Erkrankung. Wie die Bezeichnung vermuten lässt, handelt es sich um eine Lebensmittelallergie, in diesem Fall um eine gesteigerte Immunreaktion gegen bestimmte Stoffe im Weizen, die in dessen Unterarten Dinkel, Einkorn, Emmer, Kamut und Zweikorn ebenfalls vorkommen. Die Überempfindlichkeit betrifft meist nur den Verzehr von Weizenprodukten, die Glutenfraktionen der anderen Getreide lösen dagegen in der Regel keine Beschwerden aus.

Als eine andere Form der Weizenallergie gilt das durch das Einatmen von Mehlstaub verursachte Bäckerasthma, das aber eher auf eine allergisch bedingte Erkrankung der Nasenschleimhaut und der Augen zurückzuführen ist.

Bei der dritten Form der Weizenallergie treten Beschwerden der Atemwege auf, allerdings nur in der Blütezeit des Weizens, was für eine klassische Pollenallergie – hier halt eine Weizenpollenallergie – spricht.

Ebenso diskutiert wird, ob es sich bei der **Gluten-** oder **Weizensensitivität** sowie dem **Reizdarmsyndrom** ebenfalls um glutenbedingte Erkrankungen handelt. Die Existenz der Krankheiten ist unbestritten, ihre Auslöser sind allerdings unklar.

Bei der Gluten- oder Weizensensitivität ähneln die auftretenden Beschwerden mit Müdigkeit, Bauch- und Kopfschmerzen oder Hautausschlag den spürbaren Symptomen der Zöliakie. Die kann bei den Betroffenen aber ausgeschlossen werden, da sich nach dem Verzehr glutenhaltiger Lebensmittel keine Antikörper bilden und folglich der Dünndarm nicht geschädigt wird. Eine Weizenallergie liegt jedoch gesichert auch nicht vor. Da weitere Indikatoren fehlen, wird die Erkrankung durch den Ausschluss von – speziell – der Zöliakie sowie der Weizenallergie festgestellt. Deshalb ist international auch von einer *Non Celiac Gluten Sensitivity* ⇆ *Nicht-Zöliakie Glutensensitivität* die Rede, früher sogar von einer *Nicht-Zöliakie-Nicht-Weizenallergie-Weizensensitivität*. Dass für die Symptome dennoch eine glutenbedingte Reaktion verantwortlich ist, wird in einem Umkehrschluss angenommen, da viele Patienten auf eine glutenfreie Diät mit einer deutlichen Besserung ihrer Beschwerden reagieren.

Ein Reizdarmsyndrom nach oft krampfartig auftretenden Bauchschmerzen zu diagnostizieren ist nochmal komplizierter. Diese Diagnose wird gestellt, wenn wiederholt auftretenden und lang anhaltenden Beschwerden keine pathologische oder organische Ursache zugeordnet werden kann, durch die Beschwerden die Lebensqualität der Patienten aber stark eingeschränkt ist. Auch das Reizdarmsyndrom wird durch das Ausschließen anderer chronisch entzündlicher Darm- sowie infektiöser Erkrankungen quasi erschlossen.

Die Beschreibung der gerade aufgeführten Krankheitsbilder ist wie die Angabe möglicher Symptome bewusst knappgehalten und unvollständig. Die Informationen bieten keinen Ersatz für eine medizinische Einschätzung von Beschwerden oder einen medizinischen Rat. Ausführlich wird jeder Facharzt gerne über die genannten Erkrankungen informieren.

Gluten entdecken,
Gluten meiden

Jetzt weiß ich, worin Gluten enthalten ist, warum es für mich eine schädliche Wirkung hat und was passiert, wenn ich etwas esse oder trinke, was eine Zutat aus einem Getreide mit einem Zöliakiepotential enthält. Und ich weiß, was passieren kann, wenn ich die Zöliakie ignoriere und die glutenfreie Diät nicht konsequent einhalte.

Diejenigen, die nicht selbst betroffen sind, haben nun einen ersten Eindruck, warum es so wichtig ist, dass sich ein Zöliakiebetroffener strikt an seine glutenfreie Diät einhält.

Das Einhalten ist freilich nur möglich, wenn ich auch weiß, wie ich das Gluten in den Speisen und Getränken entdecke. Dafür muss ich wissen, was die verschiedenen Hinweise und Kennzeichnungen auf den Verpackungen der Lebensmittel bedeuten und wie die Speisen und Getränke in der Gastronomie gekennzeichnet werden.

Nun ist bei der glutenfreien Diät von Lebensmitteln die Rede und die fallen in einem Land der Europäischen Union – der EU – unter das Lebensmittelrecht. Das setzt sich einerseits aus EU-weiten – also in allen Mitgliedsländern der EU geltenden – Verordnungen und andererseits aus nationalen – nur in einem jeweiligen Mitgliedsland geltenden – Gesetzen zusammen. Mit dem Lebensmittelrecht soll unter anderem der Bogen vom Grundsatz der Herstellungs- und Vermarktungsfreiheit hin zu den Hinweispflichten und Verboten zum Schutz der Gesundheit geschlagen werden.

Nach dem Durcharbeiten der naturwissenschaftlichen und medizinischen Definitionen kommt nun also die Sprache der Behörden und der Verwaltung, die mit ihren bandwurmartig verschachtelten Sätzen und ihrer Wortwahl nicht immer verständlich ist. Es bleibt mir aber nichts anderes übrig: Die wichtigsten Regelungen und Vorschriften, Bestimmungen und Begriffsverwendungen muss ich kennen, um zu wissen, wie ich das Gluten in den Speisen und Getränken entdecken kann. Folglich komme ich nicht umhin, mich zumindest einmal durch den Dschungel der Artikel, Paragrafen und Verordnungen zu kämpfen.

Gluten und glutenfrei in den Verordnungen

Am Anfang finde ich sogar wieder eine gute Nachricht: Wie in der Medizin sind auch im Lebensmittelrecht mit dem Begriff *Gluten* die Proteinfraktionen gemeint, die in der Lage sind, eine Zöliakie auszulösen. Das wird generell und weltweit so gehandhabt, da sich die Definition aus den Bestimmungen im *Codex Alimentarius* ergibt.

Der *Codex Alimentarius* – folgend Codex – ist eine 1963 von der Welternährungsorganisation der Vereinten Nationen *FAO* und der Weltgesundheitsorganisation *WHO* initiierte Sammlung von Richtlinien und Standards zur Lebensmittelsicherheit und -qualität, um *„die Gesundheit der Verbraucher zu schützen und einen fairen Lebensmittelhandel zu gewährleisten"*, wie es auf der Webseite der FAO heißt. Bei den Standards handelt es sich um Empfehlungen, die weltweit von den Mitgliedstaaten – wozu unter anderem die Länder der EU zählen – in nationales oder internationales Recht umgesetzt werden sollen.

Laut dem »*CODEX STAN 118-1979 for foods for special dietary use for persons intolerant to gluten* ⇆ *Codex Standard 118-1979 für die Lebensmittel für die spezielle diätetische Verwendung für Personen, die glutenintolerant sind*« gelten die Proteinfraktionen in den Getreiden mit Zöliakiepotential als Gluten.

„Im Sinne dieses Standards wird ‚Gluten' als Proteinfraktion von Weizen, Roggen, Gerste, Hafer oder ihren Kreuzungen und Derivaten definiert, die manche Menschen nicht vertragen [...]"

45

Im Geltungsbereich der EU – darunter fallen die Mitgliedsländer des Staatenverbundes und die Nachbarstaaten, die die EU-Verordnungen übernehmen – wird die Begriffsbestimmung aus dem Codex im EU-weiten Lebensmittelrecht umgesetzt.

Die Definition für das Gluten in den Lebensmitteln findet sich fast gleichlautend in der »*Durchführungsverordnung (EU) 828/2014 über die Anforderungen an die Bereitstellung von Informationen für Verbraucher über das Nichtvorhandensein oder das reduzierte Vorhandensein von Gluten in Lebensmitteln*« in Artikel 2a.

> „Begriffsbestimmungen. Für die Zwecke dieser Verordnung bezeichnet der Ausdruck a) ‚Gluten' eine Proteinfraktion von Weizen, Roggen, Gerste, Hafer oder ihren Kreuzungen und Derivaten, [...]; b) ‚Weizen' sämtliche Triticum-Arten."

Bei der Bezeichnung *glutenfrei* gibt es eine eher nicht so gute Nachricht, denn hier ist die Begriffsbestimmung – leider – widersprüchlich. Der Begriff *glutenfrei* wird im *CODEX STAN 118-1979* nicht wortwörtlich verwendet, sondern steht für einen maximal erlaubten Glutengehalt – einen Grenzwert. Ein Lebensmittel gilt als glutenfrei, wenn der Glutengehalt nicht mehr als 20 Milligramm pro Kilogramm des Produkts beträgt. Die Eigenschaft *glutenfrei* bedeutet also nicht, dass ein glutenfreies Lebensmittel kein Gluten enthält.

> „Glutenfreie Lebensmittel sind diätetische Lebensmittel, die a) nur aus einer oder mehreren Zutaten bestehen bzw. hergestellt sind und weder Weizen (hierzu gehören alle Triticum-Arten wie Hartweizen, Dinkel und Khorasan-Weizen [...]), noch Roggen, Gerste, Hafer oder ihre Kreuzungen enthalten, und deren Glutengehalt 20 mg/kg nicht überschreitet [...]."

Auch diese Bestimmung aus dem Codex wird in das Lebensmittelrecht der EU übernommen, unter anderem mit der »*Verordnung (EG) 41/2009 zur Zusammensetzung und Kennzeichnung von Lebensmitteln, die für Menschen mit einer Glutenunverträglichkeit geeignet sind*«, laut der gemäß Artikel 3 Absatz 4 ein glutenfreies Lebensmittel in einem Mitgliedsland der EU höchstens besagte 20 Milligramm Gluten pro Kilogramm des Produkts enthalten darf.

„Für Menschen mit einer Glutenunverträglichkeit bestimmte Lebensmittel, die aus einer Zutat oder mehreren Zutaten, welche Weizen, Roggen, Gerste, Hafer oder ihre Kreuzungen ersetzen, bestehen oder diese enthalten, dürfen beim Verkauf an den Endverbraucher einen Glutengehalt von höchstens 20 mg/kg aufweisen."

Diese Regelung in der EU-Verordnung muss ich – wie jeder von einer Zöliakie direkt oder indirekt Betroffene – unbedingt kennen. Ich muss wissen, dass jedes gemäß Codex glutenfreie Lebensmittel nicht zu einhundert Prozent glutenfrei sein muss, sondern bis zu 20 Milligramm Gluten pro Kilogramm – kurz mg/kg – mit einem Zöliakiepotential enthalten darf.

MERKE: *frei von Gluten ≠ glutenfrei = 20 mg/kg Gluten*

Beim Hafer gibt es eine spezielle Regelung. Zur Erinnerung: Trotz seines Zöliakiepotentials löst sein Verzehr nicht immer eine Autoimmunreaktion aus. Dieser Umstand wird im *CODEX STAN 118-1979* berücksichtigt, in dem Hafer unter der Annahme, er werde von den meisten Menschen mit Glutenintoleranz vertragen, als glutenfrei deklariert werden kann, solange eine Kontamination mit glutenhaltigen Getreiden ausgeschlossen ist. Über diese Kann-Bestimmung und damit die Zulassung des Hafers als glutenfrei letztlich entschieden werden soll aber auf einzelstaatlicher Ebene.

„Hafer wird von den meisten, aber nicht allen Menschen mit einer Glutenintoleranz vertragen. Daher kann die Zulassung des Hafers, der nicht mit Weizen, Roggen oder Gerste kontaminiert ist, in von diesem Standard abgedeckten Lebensmitteln auf einzelstaatlicher Ebene entschieden werden."

In jedem Land muss die Gesetzgebung also selbst entscheiden, ob sie die Deklaration des Hafers als glutenfrei zulässt oder nicht. In den Ländern der EU darf Hafer als glutenfrei gekennzeichnet werden, wenn sichergestellt ist, dass eine Kontamination mit anderen glutenhaltigen Getreiden unterhalb des Grenzwertes liegt, wie es in »*Anhang B Zusätzliche Anforderungen an haferhaltige Lebensmittel*« der *Durchführungsverordnung (EU) 828/2014* steht.

> *„Der Hafer in einem Lebensmittel [...] muss so hergestellt, zubereitet und/oder verarbeitet sein, dass eine Kontamination durch Weizen, Roggen, Gerste oder Kreuzungen dieser Getreidearten ausgeschlossen ist; der Glutengehalt dieses Hafers darf höchstens 20 mg/kg betragen."*

Auch dort heißt es in der »*Erwägung nachstehender Gründe*« zur Erklärung, dass *„die meisten Menschen mit einer Glutenunverträglichkeit"* Hafer in ihre glutenfreie Ernährung einbeziehen könnten. Welche Fragen die Annahme und Regelung aufwirft, kläre ich später in den Kapiteln über die *Glutenfrei-Ampel*.

> *„Die meisten Menschen mit einer Glutenunverträglichkeit können Hafer in ihre Ernährung einbeziehen, ohne dass sich dies schädlich auf ihre Gesundheit auswirkt. Dies wird derzeit wissenschaftlich untersucht."*

In der *Durchführungsverordnung (EU) 828/2014* finden sich zwei weitere Regelungen für Lebensmittel mit Glutengehalten. So dürfen mit dem Hinweis *„sehr geringer Glutengehalt"* die Lebensmittel gekennzeichnet werden, die bis zu 100 mg/kg Gluten enthalten.

> *„Der Hinweis ,sehr geringer Glutengehalt' darf nur verwendet werden, wenn ein Lebensmittel [...] beim Verkauf an den Endverbraucher einen Glutengehalt von höchstens 100 mg/kg aufweist."*

Zudem dürfen mit den Hinweisen *„Speziell formuliert für Menschen mit Zöliakie/Glutenunverträglichkeit"* beziehungsweise *„Geeignet für*

Menschen mit Zöliakie/Glutenunverträglichkeit" Produkte kenntlich gemacht werden, die eigens hergestellt wurden, um den Glutengehalt im Produkt zu reduzieren. Auch darauf gehe ich genauer im Kapitel über die *Glutenfrei-Ampel* ein.

> *„Werden Hinweise verwendet, um die Verbraucher über das Nichtvorhandensein oder das reduzierte Vorhandensein von Gluten in Lebensmitteln zu informieren [...]"*

Nicht genannt werden in der Verordnung die Getreide Hirse, Mais und Reis sowie deren Unterarten. Da ihre Glutenfraktionen, wie inzwischen bekannt, kein Zöliakiepotential haben, können sie auch keine Unverträglichkeit auslösen und gelten im Umkehrschluss zu den genannten Regelungen nicht als glutenhaltig.

Damit ist auch geklärt, wo die wissenschaftlich zwar inkorrekte, im Alltag aber gebräuchliche Verwendung der Begriffe *glutenhaltig* und *glutenfrei* für die Getreide herkommt.

Damit ich nicht durcheinanderkomme, verwende ich ab hier ebenfalls nur (noch) die im Alltag gebräuchlichen Bezeichnungen.
- glutenhaltig: *Weizen, Gerste, Roggen, Hafer*
- glutenfrei: *Hirse, Reis, Mais*

Nicht weiter von Interesse ist, dass in einem für die Bürokratie in der Europäischen Union typischen Verwaltungsakt besagte *Verordnung (EG) 41/2009* durch die Verordnung (EU) 609/2013 aufgehoben wurde, inhaltlich aber gemäß Artikel 36 III der *Verordnung (EU) 1169/2011 betreffend die Information der Verbraucher über Lebensmittel* sowie der *»Erwägung nachstehender Gründe«* in der *Durchführungsverordnung (EU) 828/2014* weiterhin gilt.

> *„Es muss [...] weiterhin einheitliche Bedingungen für die [...] bereitzustellenden Informationen betreffend das Nichtvorhandensein oder das reduzierte Vorhandensein von Gluten in einem Lebensmittel geben; diese Bedingungen sollten auf der Verordnung (EG) Nr. 41/2009 beruhen."*

Gluten-Kennzeichnungen

Auch die Kennzeichnungen der Lebensmittel beziehungsweise die Hinweise auf den Verpackungen der Lebensmittel sind durch das Lebensmittelrecht geregelt. Durch diese Regelungen lässt sich ein Glutengehalt in einem Lebensmittel entdecken, wobei eine einfache Regel hilft: *Ist in einem Lebensmittel eine glutenhaltige Zutat enthalten, muss sie genannt werden.*

Die Regel ist so einfach, weil alle glutenhaltigen Zutaten als mögliche Auslöser einer Unverträglichkeit oder Allergie unter eine Kennzeichnungspflicht fallen, die keine Ausnahmen vorsieht. Die Verpflichtung zur Kennzeichnung findet sich für den deutschen Lebensmittelmarkt in der *Lebensmittelinformationsdurchführungsverordnung* – kurz LMIDV – in Absatz 1 von Paragraf 2.

> *„(1) Lebensmittel sind beim Inverkehrbringen in deutscher Sprache zu kennzeichnen, wenn die Kennzeichnung verpflichtend ist nach 1. dieser Verordnung, 2. der Verordnung (EU) Nr. 1169/2011 und 3. den auf die Verordnung (EU) Nr. 1169/2011 gestützten Rechtsakten [...]."*

Mit der – deutschen – LMIDV werden *unionsrechtliche Vorschriften* umgesetzt, weshalb in Paragraf 2 keine allergenen Zutaten und Hilfsstoffe stehen, sondern dafür auf die europäische *Lebensmittelinformationsverordnung (EU) 1169/2011* – kurz LMIV – verwiesen wird. In der LMIV werden in Artikel 9 *„Stoffe und Erzeugnisse"* erwähnt, *„die Allergien und Unverträglichkeiten auslösen"* und ...

> *„(1) [...] sind folgende Angaben verpflichtend: a) die Bezeichnung des Lebensmittels; b) das Verzeichnis der Zutaten; c) alle in Anhang II aufgeführten Zutaten und Verarbeitungshilfsstoffe sowie Zutaten und Verarbeitungshilfsstoffe, die Derivate eines in Anhang II aufgeführten Stoffes oder Erzeugnisses sind, die bei der Herstellung oder Zubereitung eines Lebensmittels verwendet werden und - gegebenenfalls in veränderter Form - im Enderzeugnis vorhanden sind und die Allergien und Unverträglichkeiten auslösen; [...]"*

… in dem in Artikel 9 genannten *Anhang II* schließlich die kennzeichnungspflichtigen Stoffe und Erzeugnisse aufgeführt. In der entsprechenden Aufstellung finden sich dann unter *Punkt 1* auch die Getreide Weizen, Roggen, Gerste und Hafer inklusive Hinweisen auf Unterarten sowie daraus hergestellte Erzeugnisse.

> *„1. Glutenhaltiges Getreide, namentlich Weizen, Roggen, Gerste, Hafer, Dinkel, Kamut oder Hybridstämme davon, sowie daraus hergestellte Erzeugnisse, […]*

Damit weiß ich auch, warum auf den Lebensmittelverpackungen nicht das beim ersten Einkauf im Supermarkt von mir noch gesuchte Wort *Gluten* steht: Es taucht in dieser Form in den Lebensmittelverordnungen nicht auf. Genannt werden muss der Name des jeweils im Lebensmittel enthaltenen glutenhaltigen Getreides.

MERKE: *Ist in einem Produkt eine glutenhaltige Zutat enthalten, muss sie genannt und gekennzeichnet werden. Aufgeführt wird aber nicht das Wort ‚Gluten', sondern der Name des glutenhaltigen Getreides.*

Nun mag die Regel der Kennzeichnungspflicht einfach sein, ihre Umsetzung ist es nicht. Sie kann es auch nicht sein. In einem Supermarkt hat so gut wie jedes Produkt eine Verpackung, auf der neben dem Produktnamen in der Regel auch ein Zutatenverzeichnis steht. In einer Metzgerei oder Bäckerei oder auf dem Markt hat dagegen so gut wie kein Produkt eine Verpackung, eine direkte Kennzeichnung ist also überhaupt nicht möglich.

Damit dennoch sämtliche Lebensmittel einheitlich gekennzeichnet werden, wird in den Verordnungen zwischen vorverpackten und nicht vorverpackten Lebensmitteln unterschieden. Das klingt durchaus logisch, doch die hier angewandte Logik hat so ihre Eigenarten, da letzten Endes gar nicht die Verpackung entscheidend ist, sondern ob das Produkt für den Kunden unmittelbar griffbereit ist.

Vorverpackte Lebensmittel sind Produkte, die in einem Geschäft in einem Verkaufsregal oder einer Selbstbedienungstheke für die Kunden direkt griffbereit liegen und eine – mehr oder weniger fest verschlossene – Verpackung haben, durch die der Kunde den Inhalt nicht ohne weiteres verändern kann. Bei diesen Lebensmitteln sind im Produkt enthaltene glutenhaltige Zutaten auf der Verpackung anzugeben.

Die glutenhaltige Zutat darf aber nicht irgendwo auf der Lebensmittelverpackung stehen, sondern muss als einzelnes Wort oder Teil einer Wortzusammensetzung entweder im Produktnamen oder der Produktbezeichnung enthalten sein …

Haferflocken, **Roggen**mehl

… oder im Zutatenverzeichnis als einzelne Zutat beziehungsweise in Klammern hinter der glutenhaltigen Zutat aufgeführt werden.

Zutaten: Wasser, **Weizen**mehl, Sonnenblumenöl, Salz
Zutaten: Kartoffeln, Rapsöl, Speisesalz, Hefeextrakt (**Gerste**)

Allein durch die Möglichkeit der Wortzusammensetzungen in der deutschen Sprache ergeben sich aus den Namen der Getreide dadurch mehrere Dutzend Bezeichnungen für glutenhaltige Zutaten – einige Beispiele führe ich in den Anhängen in der Auflistung »*Wörter und Wortkombinationen für glutenhaltige Zutaten*« auf.

Natürlich können auf einer Verpackung auch die Namen der Getreide stehen, die in den Verordnungen unter die Formulierung „*Hybridstämme davon*" oder „*Kreuzungen und Derivate*" fallen. Das ist zwar selten der Fall, dennoch ist es nicht verkehrt, wenn ich neben den Getreidenamen *Gerste, Hafer, Roggen* und *Weizen* auch die Bezeichnungen der Unterarten und Sorten *Einkorn, Emmer, Graupen, Grünkern, Kamut, Triticale* und *Zweikorn* kenne.

Das Aufführen des allergenen Stoffes allein reicht aber nicht aus. Nehme ich als Kunde eine Verpackung in die Hand, soll ich auf einen Blick sehen können, ob das Produkt ein Allergen enthält oder nicht. Deshalb sind alle Allergene gemäß Artikel 21 der LMIV im Zutatenverzeichnis optisch hervorzuheben.

> „[...] die in Anhang II aufgeführte Bezeichnung des Stoffs oder Erzeugnisses wird durch einen Schriftsatz hervorgehoben, durch den sie sich von dem Rest des Zutatenverzeichnisses eindeutig abhebt, z. B. durch die Schriftart, den Schriftstil oder die Hintergrundfarbe."

Zu dem Erkennen auf einen Blick gehört zudem, dass das Zutatenverzeichnis in der deutschen Sprache zu verfassen ist, wie es eben in Paragraf 2 der LMIDV zu lesen war. Diese Vorschrift freut mich, da ich gern aus dem Ausland importierte oder im Ausland produzierte Lebensmittel einkaufe und dadurch die Zutaten ohne sprachliche Hürde prüfen kann.

Die LMIV lässt auch Verpackungen ohne Zutatenverzeichnis zu, etwa wenn das Produkt nur aus einer Zutat besteht. In dem Fall entspricht der Produktname bereits der Allergenkennzeichnung, da beispielsweise im Namen *Hartweizengrieß* das Wort *Weizen* steckt. Ergibt sich die Kennzeichnung des Allergens nicht eindeutig aus der Produktbezeichnung, muss sie mit dem Hinweis „*Enthält ...*" auf der Verpackung angegeben werden, wie zum Beispiel „*Enthält Weizen*".

> „Ist kein Zutatenverzeichnis vorgesehen, so umfasst die Angabe [...] das Wort ‚Enthält', gefolgt von der [...] Bezeichnung des Stoffs oder Erzeugnisses. Die Angaben [...] sind nicht erforderlich, wenn sich die Bezeichnung des Lebensmittels eindeutig auf den betreffenden Stoff oder das betreffende Erzeugnis bezieht."

Dass ein Lebensmittel aus einer einzigen Zutat noch etwas anderes enthalten kann, ist einfach erklärt: Wer eine Packung Buchweizenkörner oder Sonnenblumenkerne kauft, geht davon aus, dass sich in der Verpackung auch nur Buchweizenkörner oder Sonnenblumenkerne befinden. Gelangen bei der Ernte oder dem Abfüllen andere Dinge mit in die Verpackung – etwa Gersten- oder Weizenkörner –, wird von einem Fremdbesatz gesprochen, der anzugeben ist.

Ebenso müssen auf einer Lebensmittelverpackung keine Zutaten aufgeführt werden, wenn die LMIV das so vorsieht. So ist zum Beispiel für Getränke mit einem Alkoholgehalt von mehr als 1,2 Volumenprozent – unter anderem also für Bier, Wein und Spirituosen – kein Zutatenverzeichnis vorgesehen.

Es gibt Ausnahmen von Befreiung der Kennzeichnung. Unter die letztgenannte Regelung der LMIV fallen auch alle Biere, aber nicht in Deutschland. Hier ist – vermutlich zum Erhalt des Reinheitsgebots – in Paragraf 3 LMIDV ein Zutatenverzeichnis vorgeschrieben.

„Abweichend von Artikel 16 Absatz 4 der Verordnung (EU) Nr. 1169/2011 ist Bier, das als vorverpacktes Lebensmittel abgegeben wird, beim Inverkehrbringen mit einem Verzeichnis der Zutaten nach Artikel 9 Absatz 1 Buchstabe b der Verordnung (EU) Nr. 1169/2011 zu kennzeichnen."

Nicht vorverpackte Lebensmittel dürfen ebenfalls abgepackt und vorsortiert – also verpackt – sein, solange sie in für die Kunden nicht erreichbaren oder zugänglichen Warentheken oder Verkaufsregalen liegen. Ich als Kunde darf mir das Produkt also nicht selbst nehmen können. In Fachkreisen wird von *loser Ware* gesprochen, in der Behördensprache von *nicht vorverpackten Lebensmitteln*.

Dass die Lebensmittel keine Verpackung haben, befreit sie nicht von der Allergenkennzeichnungspflicht. Die Kennzeichnung muss aber nicht direkt am Produkt erfolgen, was angesichts der kleinen Verkaufsschilder in den meisten Fällen auch kaum möglich ist. Wo und wie die Allergenhinweise stattdessen bereitzustellen sind, ist in der LMIDV in Paragraf 4 aufgelistet. Für mich als zöliakiebetroffenen

Kunden ist davon aber nur wichtig zu wissen, dass die Informationen auf einem Schild in der Nähe des Produkts, einem Aushang in der Verkaufsstätte oder in sonstiger Form schriftlich vorliegen und jederzeit einsehbar sein müssen.

> *„(3) Die nach Absatz 2 erforderlichen Angaben sind bezogen auf das jeweilige Lebensmittel gut sichtbar, deutlich und gut lesbar bereitzustellen. Die Angaben können erfolgen 1. auf einem Schild auf dem Lebensmittel oder in der Nähe des Lebensmittels, 2. [...] in Preisverzeichnissen, 3. durch einen Aushang in der Verkaufsstätte oder 4. durch sonstige schriftliche oder vom Lebensmittelunternehmer bereitgestellte elektronische Informationsangebote, sofern die Angaben für Endverbraucher und Anbieter von Gemeinschaftsverpflegung unmittelbar und leicht zugänglich sind."*

MERKE: *Bei allen Lebensmitteln – ob mit oder ohne Verpackung – muss jede glutenhaltige Zutat aufgeführt und deutlich gekennzeichnet werden.*

In der **Gastronomie** gilt ebenfalls die Vorgabe, dass eine glutenhaltige Zutat in einem Lebensmittel genannt werden muss. Die Ausgabe von Speisen und Getränken ist im Sinn der Verordnungen nämlich nichts anderes als das Anbieten von nicht vorverpackten Lebensmitteln und deshalb müssen die Hinweise zu enthaltenen Allergenen schriftlich vorliegen und jederzeit griffbereit sein.

> Unter den Begriff *Gastronomie* fallen laut den Begriffsbestimmungen in Artikel 2 der LMIV *„Einrichtungen jeder Art"*, in denen *„im Rahmen einer gewerblichen Tätigkeit Lebensmittel für den unmittelbaren Verzehr durch den Endverbraucher zubereitet werden"*.

Für die Gastronomen bedeutet das, dass sie zu allen von ihnen angebotenen Speisen und Getränken jede deklarationspflichtige Zutat angeben müssen. Maßgeblich sind wiederum die Vorgaben aus Paragraf 4 LMIDV, wobei die Allergene in den Speise- oder Getränkekarten, aber auch in einer eigenen Allergenkarte oder als Aushang an einer Selbstbedienungstheke aufgeführt sein dürfen. In Betrieben ohne Speise- oder Getränkekarte – etwa Imbisse, Schnellrestaurants, Eisdielen oder Foodtrucks –, sind die Allergene in dem Verzeichnis oder Aushang zu vermerken, in dem auch die Preise für die Speisen und Getränke aufgeführt sind, in einer sonstigen *„Einrichtung der Gemeinschaftsverpflegung"* – das kann eine Kantine oder Mensa, aber auch eine Suppenküche sein – außerdem in den aushängenden oder verteilten Essensplänen.

> *„Die Angaben können erfolgen 1. auf einem Schild auf dem Lebensmittel oder in der Nähe des Lebensmittels, 2. auf Speise- und Getränkekarten oder in Preisverzeichnissen, 3. durch einen Aushang in der Verkaufsstätte oder 4. durch sonstige schriftliche [...] Informationsangebote [...]"*

Dies sind nicht die einzigen Bestimmungen für die Angabe allergener Zutaten und die Allergenhinweise nicht die einzige Anforderung bei der Kennzeichnung der Lebensmittel. In der Gastronomie sind weit mehr Informationen deklarationspflichtig, was für mein Leben ohne Gluten aber nicht unbedingt von Belang ist.

MERKE: *In der Gastronomie muss zu jeder Speise und jedem Getränk jede glutenhaltige Zutat aufgeführt werden.*

Es gibt einige wenige **Lebensmittel, die** aus oder mit einem glutenhaltigen Getreide hergestellt werden und dennoch **nicht unter die Kennzeichnungspflicht fallen.**

Das ist keine Ausnahme von der verpflichtenden Kennzeichnung, sondern dann erlaubt, wenn bei der Herstellung des Produkts die schädlichen Glutenproteine einer glutenhaltigen Zutat abgebaut, umgewandelt oder zerstört werden. Das passiert beispielsweise bei der Herstellung von Glukosesirupen und Maltodextrinen oder beim Brennen von Destillaten – weitere Beispiele führe ich in der Aufstellung »*Nicht gutenhaltig trotz glutenhaltiger Zutat*« in den Anhängen auf. Wann immer also die Glutenproteine der Getreide bei einem Herstellungsverfahren ihr Zöliakiepotential verlieren, fällt die entsprechende Zutat gemäß Punkt 1 im Anhang II der LMIV nicht mehr unter die Kennzeichnungspflicht.

> „1. Glutenhaltiges Getreide [...] sowie daraus hergestellte Erzeugnisse, ausgenommen a) Glukosesirupe auf Weizenbasis einschließlich Dextrose [1]; b) Maltodextrine auf Weizenbasis [1]; c) Glukosesirupe auf Gerstenbasis; d) Getreide zur Herstellung von alkoholischen Destillaten einschließlich Ethylalkohol landwirtschaftlichen Ursprungs;"
> [1] und daraus gewonnene Erzeugnisse, soweit das Verfahren, das sie durchlaufen haben, die Allergenität, [...] wahrscheinlich nicht erhöht."

Glutenfrei-Hinweise

Glutenfreie Lebensmittel sollen laut Verordnung (EG) 41/2009 mit dem Wort *glutenfrei* gekennzeichnet werden. Mit dem Hinweis erklärt der Hersteller, dass bei dem Produkt die gesetzliche Regelung für die glutenfreien Lebensmittel eingehalten wird.

> „Bei der Kennzeichnung und Aufmachung dieser Erzeugnisse [...] ist die Bezeichnung ,glutenfrei' zu verwenden."

Enthält ein gutenfreies Lebensmittel eine glutenhaltige Zutat, ist diese natürlich im Zutatenverzeichnis anzugeben, da sie unter die Kennzeichnungspflicht fällt. Denke ich zurück an meinen ersten Einkauf im Supermarkt, bei dem ich im Zutatenverzeichnis eines glutenfreien Lebensmittels das Wort *Weizen* fand, ist mir jetzt klar, warum ein glutenfreies Lebensmittel Weizen enthalten darf.

MERKE: *Ein als glutenfrei gekennzeichnetes Lebensmittel darf – mit oder ohne ausgewiesene glutenhaltige Zutat – bis zu 20 mg/kg Gluten enthalten.*

Beim glutenfreien Hafer steht die Kennzeichnung *glutenfrei* allein für den Fremdbesatz mit einem anderen glutenhaltigen Getreide, nicht aber den Hafer selbst. Bei der Bestimmung des Glutengehalts wird das Prolamin Avenin nicht berücksichtigt, was auf der Verpackung durch den Zusatz *Oats* oder *Avena* – das englische/italienische beziehungsweise spanische Wort für Hafer – angezeigt wird.

MERKE: *Als glutenfrei gekennzeichneter Hafer darf maximal 20 mg/kg Gluten von Gerste, Roggen und Weizen, aber beliebig viel Avenin enthalten.*

Handelt es sich bei dem glutenfreien Lebensmittel um ein zusätzlich von einer Zöliakiegesellschaft zertifiziertes Produkt, wird auf der Verpackung zudem das schon erwähnte Symbol der durchgestrichenen Ähre – das international verwendete und anerkannte Glutenfrei-Symbol – stehen.

Auch das Glutenfrei-Symbol zeigt die Einhaltung der gesetzlichen Regelungen an, ist selbst aber nicht gesetzlich geregelt, sondern ein von den Zöliakiegesellschaften geschütztes Zeichen. Entscheidend für die Glutenfreiheit eines Produkts ist allein das Wort *glutenfrei*.

Andere Formulierungen wie zum Beispiel *„ohne Gluten", „enthält kein Gluten"* oder *„aus nicht glutenhaltigen Rohstoffen hergestellt"* stehen nicht für die gesetzliche Regelung und sind sogar untersagt. Der *Arbeitskreis der auf dem Gebiet der Lebensmittelhygiene und der Lebensmittel tierischer Herkunft tätigen Sachverständigen* – kurz ALTS – hat in einem Beschluss seiner 80. Arbeitstagung festgelegt, dass bei Lebensmitteln andere Kennzeichnungen als *„glutenfrei"* oder *„sehr geringer Glutengehalt"* nicht gestattet sind.

„Bei Lebensmitteln [...] dürfen entsprechend der VO (EU) Nr. 828/2014 ausschließlich die Angaben ‚glutenfrei' bzw. ‚sehr geringer Glutengehalt' zum Hinweis auf das Nichtvorhandensein oder das reduzierte Vorhandensein von Gluten verwendet werden."

Das Verbot der frei formulierten Hinweise ist dem Umstand geschuldet, dass die so gekennzeichneten Produkte nicht die für die glutenfreien Lebensmittel definierten Vorgaben und Anforderungen aus dem Lebensmittelrecht erfüllen müssen, da die Hinweise keinerlei gesetzlich verbindliche Aussagekraft haben.

Bei den Glutenfrei-Hinweisen gibt es weitere Verbote. So darf der Hinweis *glutenfrei* nicht verwendet werden, wenn bei einem Produkt kein Glutengehalt zu erwarten ist – wie etwa bei Obst und Gemüse, Butter und Milch oder Hülsenfrüchten und Nüssen. Hierzu gibt es in den Anhängen die Aufstellung *»Lebensmittel ohne Gluten, die nicht als glutenfrei gekennzeichnet werden«*. Aus lebensmittelrechtlicher Sicht ist die Verwendung der Bezeichnung *glutenfrei* hier untersagt, weil bei Lebensmitteln ohne einen natürlichen Glutengehalt die Kennzeichnung als eine Werbung mit einem Merkmal gilt, das als selbstverständlich angesehen wird. Das ist gemäß Artikel 7 der LMIV eine Irreführung und somit nicht erlaubt.

> „Informationen über Lebensmittel dürfen nicht irreführend sein, insbesondere [...] c) indem zu verstehen gegeben wird, dass sich das Lebensmittel durch besondere Merkmale auszeichnet, obwohl alle vergleichbaren Lebensmittel dieselben Merkmale aufweisen, insbesondere durch besondere Hervorhebung des Vorhandenseins oder Nicht-Vorhandenseins bestimmter Zutaten [...]"

Das Verbot gilt aber nicht für die Produkte, bei deren Abfüllung, Verpackung, Lagerung oder Transport es zu einem Fremdbesatz kommen kann. Dann darf der Hinweis *glutenfrei* verwendet werden, um zu signalisieren, dass kein Fremdbesatz vorliegt.

Ob unter die irreführenden Informationen auch Formulierungen wie *„von Natur aus glutenfrei"* oder *„enthält von Natur aus kein Gluten"* fallen, lässt sich schwer sagen. Da bei den Lebensmitteln einerseits jede andere als die Bezeichnung *glutenfrei* untersagt ist, andererseits der ALTS in den Beschlüssen der 86. Arbeitstagung aber festgelegt hat, dass mit der Kennzeichnung „*von Natur aus glutenfrei*" eine angemessene Möglichkeit besteht, dem Vorwurf der Werbung mit Selbstverständlichkeiten entgegenzutreten, ist das eine Frage der Auslegung und somit etwas für Juristen.

Der Arbeitskreis der auf dem Gebiet der Lebensmittelhygiene und der Lebensmittel tierischer Herkunft tätigen Sachverständigen ist ein Bund-Länder-Sachverständigen-Gremium im Bundesamt für Verbraucherschutz und Lebensmittelsicherheit und zuständig für die Zusammensetzung der Lebensmittel tierischer Herkunft, Lebensmittelhygiene und -mikrobiologie, Viren in Lebensmitteln, Tierarzneimittel nach NRKP sowie parasitologische, histologische und immunologische Lebensmittelanalytik.

Ebenfalls nicht erlaubt ist die Kennzeichnung *glutenfrei* bei Produkten der Säuglingsanfangs- und Folgenahrung, was Mamas und Papas von Kleinkindern wissen müssen. Das Verbot findet sich in Artikel 4 der *Durchführungsverordnung (EU) 828/2014*, ist aber nicht weiter dramatisch, da bei der Herstellung von Säuglingsanfangs- und Folgenahrung laut *Richtlinie 2006/141/EG* sowieso keine glutenhaltigen Zutaten verwendet werden dürfen.

„Die Bereitstellung von Lebensmittelinformationen über das Nichtvorhandensein oder das reduzierte Vorhandensein von Gluten in Säuglingsanfangsnahrung und Folgenahrung gemäß der Definition in der Richtlinie 2006/141/EG ist untersagt."

Lebensmittel ohne Kennzeichnung und ohne Hinweis

Wenn die Lebensmittel mit einer glutenhaltigen Zutat eindeutig glutenhaltig sind, müssten die Produkte ohne aufgeführte glutenhaltige Zutat doch ebenso eindeutig glutenfrei sein. Der Gedanke scheint wieder einmal logisch – nur trügt der Schein auch dieses Mal und der schöne Gedanke entpuppt sich als unschöner Trugschluss:

Ein Lebensmittel ohne eine glutenhaltige Zutat muss keineswegs frei von Gluten sein. Es ist quasi unter Vorbehalt glutenfrei.

Keine glutenhaltige Zutat und doch nur unter Vorbehalt glutenfrei? Wo ist da die Logik? Wir leben nun einmal in einem Europa mit Verordnungen, die einer eigenen Logik folgen und bei den Lebensmitteln gehört zu der Logik, dass bei der Herstellung oder Verarbeitung nur absichtlich einem Lebensmittel zugesetzte Stoffe unter die verpflichtende Kennzeichnung fallen.

Ein absichtlich zugesetzter Stoff ist eine Zutat. Und ein unabsichtlich hineingelangter? Das ist eine Kontamination. Eine Verunreinigung. Nur tauchen die Begriffe *Kontamination* oder *Verunreinigung* in der deutschen LMIDV ebenso wenig auf wie in der europäischen LMIV und deshalb muss ein Allergen, das nicht über eine Zutat, sondern durch eine produktions- oder verarbeitungsbedingte Kontamination in ein Produkt gelangt ist, nicht genannt und gekennzeichnet werden. Und das gilt selbst dann, wenn dem Hersteller oder Verarbeiter die Kontamination bekannt ist.

Für mich bedeutet das, dass ein Lebensmittel, das laut Zutatenverzeichnis keine glutenhaltige Zutat enthält, dennoch etwas Glutenhaltiges enthalten kann.

MERKE: *Ein Lebensmittel, das laut Zutatenverzeichnis keine glutenhaltige Zutat enthält, muss nicht frei von Gluten sein.*

Immerhin dürfen nicht beliebige Mengen kontaminierender Stoffe in die Lebensmittel gelangen. Der eben erwähnte ALTS legt für alle Allergene eine Empfehlung fest, ab der die Menge eines allergenen Stoffes – egal wo er herkommt oder wie er in das Lebensmittel gelangt ist – nicht mehr als Kontamination gilt, sondern *„der Eintrag des allergenen Bestandteils rezepturmäßig über eine Zutat erfolgte und somit die Kennzeichnungsbestimmungen der LMIV nicht eingehalten sind"*. Für die glutenhaltigen Getreide liegt die maximale Menge einer nicht kennzeichnungspflichtigen Kontamination derzeit laut Beschluss der 77. Arbeitstagung bei 80 mg/kg.

„Glutenhaltiges Getreide (bestimmt als Gluten), Bewertungsgrundlage 100 mg allergenes LM/kg (Schwellenwertdosis erreicht bei Verzehr von 100 g LM), > 80 mg/kg kennzeichnungspflichtig nach § 3 (1) LMKV bzw. Art. 7 VO 1169/2011."

Auch die Schweiz hat mit der »*Verordnung des EDI über die Kennzeichnung und Anpreisung von Lebensmitteln*« eine Regelung für Verunreinigungen, die grenzwertgebunden ist und ab einer Kreuzkontamination von 100 mg/kg Gluten greift.

Wie Glutengehalte kontrolliert werden

Vertrauen ist gut, Kontrolle ist besser. Das ist eine schöne Redensart, doch die Lebensmittel auf ihren Inhalt zu kontrollieren, ist mir ohne weiteres gar nicht möglich. Einen Glutengehalt kann ich nur anhand der Kennzeichnungen und Hinweise erkennen, ansonsten muss ich darauf vertrauen, dass die geltenden Vorschriften eingehalten werden und die gemachten Angaben stimmen.

Die Lebensmittelkontrolle obliegt verschiedenen Behörden, letztlich zuständig sind in Deutschland die Lebensmittelüberwachungs- und Veterinärämter der Städte und Landkreise. Zudem sind Unternehmen, die Lebensmittel herstellen und verkaufen, nach den »*Leitlinien der Europäischen Kommission zur Umsetzung von Managementsystemen für Lebensmittelsicherheit unter Berücksichtigung von PRPs und auf die HACCP-Grundsätze gestützten Verfahren einschließlich Vereinfachung und Flexibilisierung bei der Umsetzung in bestimmten Lebensmittelunternehmen*« zu Selbstkontrollen verpflichtet.

Ein Verstoß gegen das Lebensmittelrecht – die Erlasse dazu finden sich unter anderem in Paragraf 6 der LMIDV – gilt übrigens als Ordnungswidrigkeit, je nach Umfang oder Vorsatz auch als Straftat. Weiter gehe ich auf diese Erlasse und Vorschriften aber nicht ein.

Nun müssen die Hersteller ihre als glutenfrei gekennzeichneten Lebensmittel nicht bei einer Behörde anmelden oder eine Genehmigung einholen, bevor sie die Produkte auf den Markt bringen. Nur bei einer Lebensmittelkontrolle hat der Hersteller für seine Produkte die in den Verordnungen geforderten Spezifikationen und das Einhalten der Richtlinien nachzuweisen, und damit auch, ob bei glutenfreien Produkten der vorgegebene Grenzwert eingehalten wird. Wie oft ein Hersteller kontrolliert wird und ob überhaupt, steht auf einem anderen Blatt.

Ich bin als Endkunde also auf die Kontrollen der Behörden sowie die gesetzlich vorgesehene Selbstkontrolle der Hersteller angewiesen – und deren Verantwortungsbewusstsein, das sie dazu veranlasst, ein kontaminiertes oder nicht oder falsch gekennzeichnetes Produkt gar nicht erst auf den Markt zu bringen oder unverzüglich zurückzurufen und den Behörden zu melden. Als Verbraucher kann ich bei einem Zweifel nur die Behörden auf ein Produkt hinweisen.

Ebenso muss kein Hersteller seine glutenfreien Lebensmittel bei einer Zöliakiegesellschaft zertifizieren lassen. Im Fall einer Zertifizierung kontrollieren auch die Zöliakiegesellschaften die Produkte. Dafür lassen sich einige einen Laborbericht zum glutenfreien Produkt schicken, andere kontrollieren die Glutengehalte mittels Untersuchungen nach eigenen Testkäufen selbst.

Wer sich über die Zertifizierungen und Kontrollen genauer informieren möchte, kann sich direkt an die jeweilige Zöliakiegesellschaft wenden. In welchem Land ein Produkt zertifiziert ist, ist am Ländercode – AT für Österreich, BE für Belgien, CH für die Schweiz, DE für Deutschland, ES für Spanien, FR für Frankreich, IT für Italien, NL für die Niederlande, PL für Polen und so weiter – erkennbar, der jeweils die Anfangsbuchstaben der Lizenznummer unterhalb des Glutenfrei-Symbols bildet.

Entdeckt eine Zöliakiegesellschaft eine Unregelmäßigkeit, hat sie gegenüber dem Hersteller oder Verkäufer außer dem Entzug von Glutenfrei-Symbol und Zertifizierung keine weitere Sanktionsmöglichkeit. Ihr bleibt, wie jedem anderen Verbraucher auch, nur die Anzeige bei den zuständigen Behörden des jeweiligen Landes.

Wie gut die Kontrollsysteme funktionieren, lässt sich abschließend schwer beurteilen. Prinzipiell muss jeder Betrieb täglich mit einer Kontrolle rechnen. Angesichts der Vielzahl der Betriebe muss man den Behörden aber wohl zugestehen, dass allumfassende Kontrollen nicht machbar sind. Kontrolliert wird bei Verdachtsmomenten, ansonsten mittels Stichproben.

Mir bleibt aber nichts anderes übrig, als darauf zu vertrauen, dass die glutenfreien Produkte alle so glutenfrei sind, wie sie sein sollen. Da kann es mir und anderen Zöliakiebetroffenen natürlich nicht gefallen, dass es immer wieder zu Produktrückrufen wegen zu hoher Glutengehalte kommt, was vermuten lässt, dass die Kontrollen nicht lückenlos funktionieren.

Ob ein Produktrückruf als erfolgreiche Kontrolle gesehen wird, ist eine Frage der Perspektive. Habe ich ein belastetes Produkt gekauft und werde durch den Rückruf vor dessen Verzehr gewarnt, werte ich das bestimmt als Erfolg. Habe ich das Produkt bereits gegessen, werde ich das ebenso bestimmt ganz anders sehen.

Bei meinem Leben ohne Gluten muss ich wohl mit der Tatsache leben, dass immer auch Lebensmittel auf dem Markt angeboten werden, die mit einer zu hohen Glutenmenge belastet sind.

Wie Glutengehalte festgestellt werden

Um kontrollieren zu können, ob der Glutengehalt in den Lebensmitteln eingehalten wird, muss er so genau wie möglich festgestellt werden. Dafür stehen derzeit mehrere Verfahren zur Verfügung, die allerdings unterschiedlich ausgerichtet sind und wegen verschiedener Grundeinstellungen und Extraktionsmethoden nicht immer zum selben Ergebnis führen.

Um – dem eigenen Bekunden nach – bei der Analytik mehr Sicherheit und eine zuverlässige Vergleichbarkeit der Messresultate zu erreichen, empfiehlt die Codex-Alimentarius-Kommission in dem bereits bekannten *CODEX STAN 118-1979* als Verfahren für die Bestimmung eines Glutengehalts einen »*R5-basierten ELISA-Test nach der Mendez-Methode*« oder einen *kompetitiven R5-ELISA-Test*.

Die Abkürzung *ELISA* steht für *Enzyme Linked Immunosorbent Assay*. Ein *Assay* ist in der Chemie ein Prüfverfahren, ein ELISA-Test ein *Enzymgekoppelter Immunadsorptionstest*, der auf zwei Arten durchgeführt wird. Bei der Sandwichmethode wird – vereinfacht gesagt – die Menge der Antigene zwischen zwei Lagen von Antikörpern gemessen. Das funktioniert bei unverarbeiteten und erhitzten Lebensmitteln. Bei fermentierten oder teilhydrolysierten Produkten wie Sirup, Bier oder Sauerteig kommt die kompetitive Methode zum Einsatz, bei der die Menge der Antigene gemessen wird, die nicht gebunden werden kann. Buchstabe und Zahl stehen für den eingesetzten Antikörper, *Mendez* ist der Name der spanischen Arbeitsgruppe, die ihn entwickelt hat.

Der R5-Antikörper sucht nach bestimmten Sequenzen aus fünf Aminosäuren – Pentapeptide genannt – und ist ursprünglich gegen das Prolamin Secalin im Roggen gerichtet. Da die gesuchten Aminosäuresequenzen in den Prolaminen Gliadin und Hordein ebenfalls vorkommen, reagiert er auch auf das Gluten in Gerste und Weizen. Die Nachweisgrenze liegt bei 3 bis 5 mg/kg, im *CODEX STAN 118-1979* werden maximal 10 gefordert.

„*Sie [die Nachweisgrenze, Anmerkung des Autors] sollte 10 mg/kg Gluten oder weniger betragen.*"

Nun ist es oft so, dass dort, wo Forschung betrieben wird, sich die Geister scheiden und auch streiten. Beim R5-basierten ELISA-Test ist eine Frage, wie fehlerfrei er ist, da der bei dem Test eingesetzte Antikörper auch auf unschädliche Proteinketten reagiert. Diese Reaktion wird Kreuzreaktivität genannt. Gemeint ist, dass ein Antikörper ebenfalls bei Stoffen anschlägt, die den gesuchten nur ähnlich sind.

Die andere Frage ist, wie vollständig die R5-basierten Tests sind, da der R5-Antikörper auf die Glutenfraktionen der Gluteline so gut wie nicht reagiert, was zu einseitigen Überbestimmungen führen kann. Noch problematischer ist, dass der R5-Antikörper nicht auf das Prolamin Avenin im Hafer reagiert, da die gesuchten Aminosäuresequenzen im Avenin nicht vorkommen.

Dabei ist es möglich, Avenin in einem Lebensmittel zu entdecken, etwa mit einem *G12-ELISA-Test*. Wie die Bezeichnung schon verrät, handelt es sich ebenfalls um ein Verfahren nach ELISA, aber mit einem anderen Antikörper.

Der G12-Antikörper ist neuer und zielt unter anderem direkt auf das 33-mer Peptid im Prolamin Gliadin ab – zur Erinnerung: das ist einer der Superauslöser der Zöliakie –, erkennt aber genauso die Sequenzen ähnlicher Peptide, die in Gerste, Roggen und Hafer vorkommen. Seine Nachweisgrenze liegt zwischen 2 und 4 Milligramm pro Kilogramm.

Es gibt noch weitere Nachweismethoden für einen Glutengehalt, wie eine Polymerasekettenreaktion, bei der nicht die Glutenproteine nachgewiesen werden, sondern typische DNA-Fragmente. Näher gehe ich darauf aber nicht ein.

Obwohl also mehrere Verfahren zur Verfügung stehen, empfiehlt die Codex-Alimentarius-Kommission ausschließlich den R5-ELISA-Test. Der Empfehlung schließt sich der Dachverband der europäischen Zöliakiegesellschaften – die *Association of European Coeliac Societies* – an und fordert in dem *AOECS Standard für glutenfreie Lebens-*

mittel die ihm angeschlossenen Zöliakiegesellschaften ebenfalls auf, von den Lebensmittelherstellern und -importeuren beim Nachweis einen R5-ELISA-Test zu verlangen oder bei eigenen Untersuchungen einzusetzen.

„Die anzuwendende Analysemethode ist die R5-Sandwich-ELISA (Mendez) Methode, die vom Codex-Komitee für Analysemethoden und Probennahme als eine Typ-1-Methode bestimmt wurde. Diese Methode erkennt die Prolamine aus Weizen, Roggen und Gerste in unverarbeiteten und erhitzten Produkten."

Wer fragt sich jetzt auch, wie dann in den derzeit getesteten und zertifizierten Lebensmitteln ein Aveningehalt festgestellt wird?

Warum kein G12-ELISA-Test oder dieser zumindest bei den Produkten mit Hafer gefordert wird – in den Studien der Glutenforschung kommen regelmäßig beide Tests zum Einsatz –, konnte ich nicht zufriedenstellend klären, da auf meine Anfragen nur ausweichend geantwortet wurde. Immerhin ließen die Mitarbeiter einiger Zöliakiegesellschaften wissen, dass dort die Vorgaben für die Tests eher als Empfehlung gesehen und neben dem R5-ELISA-Test auch andere Verfahren akzeptiert und bei eigenen Untersuchungen eingesetzt werden.

Eure Nahrungsmittel sollen eure Heilmittel sein und eure Heilmittel sollen eure Nahrungsmittel sein.

Hippokrates von Kos

Der Einstieg in das
sicher glutenfreie Leben

Die grundlegenden Informationen über mein anstehendes gluten-freies Leben habe ich zusammengesucht. Da ich bei der Suche fleißig Daten und Fakten gesammelt habe, verfüge ich nunmehr über ein gut aufgestelltes Basiswissen über Getreide mit und ohne Gluten, Auslöser glutenbedingter Erkrankungen, glutenhaltige und gluten-freie Lebensmittel sowie viele erste Anhaltspunkte für das Funktionieren der glutenfreien Diät.

Die beste Information oder Nachricht ist dabei, dass ich dank der glutenfreien Diät – obwohl natürlich immer noch immunologisch krank – beschwerdefrei und gesund leben kann. Allein dafür lohnt es sich, dass ich mich strikt glutenfrei ernähre.

Eines der ganz großen Probleme beim glutenfreien Leben ist die fehlende Kennzeichnungspflicht für die kontaminationsbedingten Glutengehalte vor allem in den Speisen, aber auch Getränken. Da selbst bekannte Verunreinigungen nicht angegeben werden müssen, lässt das Fehlen einer Kennzeichnung nicht den Umkehrschluss zu, dass ein Produkt kein Gluten enthält. Auch deshalb ist es – wie zu Anfang meiner Erkundung des Lebens ohne Gluten erwähnt – nicht so einfach, einen wirklich umfassenden Schutz bei einem sicher glutenfreien Leben zu finden.

Jetzt, da ich die durch das Lebensmittelrecht gegebenen Schutz-mechanismen kenne, muss ich feststellen, dass sich in Bezug auf die Kennzeichnungspflichten und Kontrollen der Lebensmittel ein doch eher ernüchterndes Gesamtbild ergibt: Die EU-Verordnungen bieten den *meisten Menschen mit einer Glutenunverträglichkeit* – wie es in den Verordnungen heißt – einen Mindest- oder Basisschutz für ein glutenfreies Leben. Doch bin ich einer dieser *meisten Menschen*?

Weitere gesetzliche Vorgaben, die mich vor enthaltenen und insbesondere verborgenen Glutengehalten schützen oder mir gar das Entdecken aller Glutengehalte ermöglichen, suche ich vergebens. Wer nicht zur Gruppe der *meisten Menschen mit einer Glutenunverträglichkeit* gehört, muss sich selbst schützen. Ein umfassender Schutz für alle Zöliakiebetroffenen existiert nicht.

Der umfassende Schutz ist aber mein Ziel. Eine höhere Sicherheit bieten zwar die Lebensmittel, die als glutenfrei gekennzeichnet sind – und unter diesen vor allem jene mit einem zusätzlichen Glutenfrei-Symbol –, die Sicherheit basiert aber ebenfalls auf den Vorgaben des Codex, schützt mich also wiederum nicht maximal.

In der Summe führt mich das unweigerlich zu einem Dilemma: Auf der einen Seite soll und muss ich mich strikt glutenfrei ernähren, auf der anderen Seite kann ich unmöglich jedes Milligramm Gluten in meinen Speisen und Getränken entdecken und somit auch nicht jedes Milligramm Gluten meiden.

Das ist zwar die logische Schlussfolgerung, kann aber kaum der Weisheit letzter Schluss sein.

Ist es auch nicht. Um aus einem glutenfreien Leben nach Codex und Verordnung mit vermuteten Sicherheiten für die Mehrheit der Betroffenen einer Zöliakie ein sicheres Leben ohne Gluten für alle Betroffenen zu machen, bedarf es eines Systems, das bei sämtlichen Speisen und Getränken sowie in allen Situationen die Einschätzung der Risiken und das Ziehen der richtigen Rückschlüsse ermöglicht – und mir meine Möglichkeiten zeigt. Ein solches System wird mir nicht vorgegeben, ich muss es selbst erstellen.

Mit dem schlimmstmöglichen Fall einer nicht zu entdeckenden Glutenbelastung scheint zwar ein Damoklesschwert über mir und allen anderen Zöliakiebetroffenen zu schweben, doch wieder klärt erst der Blick auf das differenzierte Gesamtbild die Lage. Und nach dem kann ich in der Tat in den Lebensmitteln nicht jedes Milligramm Gluten entdecken und meiden. Die gute Nachricht ist aber, dass ich auch nicht jedes Milligramm Gluten meiden muss. Wie das zu verstehen ist, zeige ich gleich bei der *Glutenfrei-Ampel*.

Damit es aber gar nicht erst zu Missverständnissen kommt: Dass nicht jedes Milligramm Gluten gemieden werden muss, heißt nicht, dass ich – oder ein anderer Zöliakiebetroffener – ein kleinstes Stück- oder Schlückchen von einem glutenhaltigen Lebensmittel verzehren darf. Beim Nicht-Meiden ist von Glutenmengen in einer Größenordnung die Rede, die keine handelsübliche Küchenwaage der Welt anzeigen kann.

Zunächst muss ich aber erst einmal wissen, wie viel Gluten am Tag für mich eigentlich schädlich und wie sicher der Grenzwert für die glutenfreien Lebensmittel ist.

Wie viel Gluten schädlich ist

So sieht meine Ausgangslage aus: Ein gemäß Codex glutenfreies Lebensmittel darf maximal 20 mg/kg Gluten enthalten, was jederzeit kontrolliert werden kann, aber nur bei als glutenfrei zertifizierten Lebensmitteln auch regelmäßig kontrolliert wird. Ein Produkt ohne eine glutenhaltige Zutat darf bis zu 80 mg/kg Gluten enthalten, was vielleicht kontrolliert wird oder auch unentdeckt bleibt. Und dann habe ich noch behauptet, eine bestimmte Menge eines Lebensmittels mit einem geringen Glutengehalt essen zu können, die Menge und das Warum aber noch offengelassen.

Das alles klingt nicht nur verwirrend, das ist es zunächst einmal auch. Auflösen werde ich das verwirrende Konstrukt, in dem ich mich als erstes frage, welche Glutenmenge für mich und andere Zöliakiebetroffene an einem Tag eigentlich schädlich ist. Aus den vielen Gesprächen mit anderen Betroffenen weiß ich, dass das nicht irgendeine x-beliebige Frage ist. Das ist so etwas wie die Frage aller Fragen und ich nehme es vorweg: Eine jeden Aspekt berücksichtigende Antwort werde ich nicht finden, dafür aber den einen oder anderen praktischen Wert zur Orientierung.

Die verzehrte Glutenmenge, die für mich pro Tag – noch – unkritisch ist, kann ich ermitteln. Zumindest in der Theorie, denn dem recht hohen Aufwand steht ein unverhältnismäßig niedriger Nutzen entgegen. Zur Ermittlung wird über einen festgelegten Zeitraum an jedem Tag eine nach und nach größere Glutenmenge verzehrt und ebenso täglich die Anzahl der Antikörper im Blut kontrolliert. Steigt ab oder bei einer bestimmten Glutenmenge die Zahl der Antikörper oder setzen zöliakiebedingte Reaktionen ein, habe ich meine persönliche Toleranzgrenze erreicht – und ermittelt.

Wie gesagt, ist das ein theoretisches Szenarium mit einem eher geringen Nutzen, da im Alltag der für den ständigen Abgleich benötigte exakte Glutengehalt in den verzehrten Speisen und Getränken in der Regel unbekannt ist und vor jeder Mahlzeit erst ermittelt werden müsste.

Genaue Zahlen zu den schädlichen Glutenmengen pro Tag kann ich also nicht erhalten. Ich kann aber einen anderen Weg gehen und Anhaltspunkte für eine täglich mögliche Glutenmenge finden. Dafür greife ich auf die Ergebnisse von gut sechzig Forschungsprojekten aus den letzten vier Jahrzehnten zurück, die sich mit der Suche nach den schädlichen Glutenmengen bei Zöliakiebetroffenen befassen. Werte ich die Studien unter Berücksichtigung der zentralen Fragestellung, Projektdauer, Anzahl und Zusammenstellung der Teilnehmer sowie der eingesetzten Glutenmengen aus, komme ich den täglichen Toleranzen zumindest näher.

Das Ergebnis der Auswertung ist, dass allgemein die Toleranz der verträglichen Glutenmengen zwischen 1,5 und 50 Milligramm pro Tag liegt. Konkret liegen zwischen einem Nicht-Reagieren und dem

Reagieren mit klinischen Symptomen aber Welten. Bei einigen Teilnehmern treten erste Symptome bei täglich 0,01 Milligramm Gluten auf, andere Teilnehmer zeigen bei 4 Gramm Gluten – also 4.000 Milligramm – keine Reaktion. Hierzu ist allerdings anzumerken, dass es sich um auffällige Spitzenwerte handelt, deren Zustandekommen bei den Untersuchungen nicht durchgängig nachvollzogen oder nachkontrolliert wurde.

Da die Aussagekraft der auffälligen Spitzenwerte eher fraglich ist, passe ich die Parameter meiner Auswertung an und lasse alle unklaren Werte unberücksichtigt, wodurch sich die Anzahl der insgesamt erfassten Studienteilnehmer um etwa zehn Prozent verkleinert und sich der Bereich der verträglichen Glutenmengen auf 10 bis 35 Milligramm Gluten pro Tag verringert. Auch im angepassten Teilnehmerfeld zeigten sich bei einigen wenigen Teilnehmern bei Verzehrmengen unter 10 Milligramm erste Symptome, bei anderen bei einer Verzehrmenge von mehr als 35 Milligramm dagegen keine.

Noch genauere Werte lassen sich aus den Studien leider weder für eine ganz sichere tägliche Untergrenze, noch eine mögliche Obergrenze ableiten. Dafür variieren zum einen die verträglichen Glutenmengen bei den Teilnehmern zu stark, zum anderen steht trotz der vorliegenden sechzig Forschungsprojekte wegen der Unterschiede in den Ausrichtungen und Zielsetzungen der Studien kein ausreichendes beziehungsweise miteinander vergleichbares Datenmaterial für eine feingliedrigere Unterteilung zur Verfügung.

Was steht in der Fachliteratur? Dort werden trotz Unsicherheiten regelmäßig zwei Grenzwerte für eine täglich tolerierte Glutenverzehrmenge angesetzt. Zum einen sind das bis zu maximal 10 Milligramm Gluten pro Tag, wie es unter anderem – wieder wertfrei ausgesucht – in »*Die ganze Wahrheit über Gluten*«[A] von Alesio Fasano oder der »*S2k-Leitlinie Zöliakie*«[B] verschiedener Autoren heißt. Der Wert lässt sich durchaus nachvollziehbar aus den Ergebnissen der

Studien herleiten und absichern, auch wenn die Herleitung – das zeigen die ausgewerteten Studien ebenso – nicht bei jedem Zöliakiebetroffenen greifen wird.

(A) *„Wie Untersuchungen gezeigt haben, ist der Konsum von bis zu 10 mg Gluten pro Tag für die meisten Menschen mit Zöliakie ungefährlich."* (B) *„Die noch tolerierte Glutenmenge pro Tag, die nach Dosisfindungsstudien nicht oder nur sehr selten zu Schleimhautschäden führt, liegt bei weniger als 10 mg pro Tag bei Erwachsenen [...]"*

Der zweite angesetzte Wert liegt bei 50 Milligramm Gluten täglich. Diese Menge gilt in Fachkreisen gesichert als ein kritisches Niveau, da so gut wie kein Teilnehmer einer Studie – einzelne nicht geklärte Spitzenwerte wiederum unberücksichtigt – bei dieser Glutenmenge keine Symptome zeigte.

Jetzt bin ich zwar einen kleinen Schritt weiter, aber leider wirklich nur einen ganz kleinen. Immerhin lassen sich jetzt drei Bereiche oder Größenordnungen benennen, die sich quasi als Glutenfenster auftun.

Glutenmenge *(mg/Tag)* 0   5   10   15   20   25   30   35   40   45   50

(unter Vorbehalt) **sicher** ⬜⬜⬜⬜⬜⬜⬜??
möglich ????????????????????→
kritisch ←???????!!!!!!!!

⬜⬜ Toleranzbereich | ?? Unsicherheitsbereich | !!!! Risikobereich

Insbesondere für die Toleranzen zwischen 1,5 und 10 sowie 35 und 50 Milligramm Gluten täglich fehlen in den Studien zuverlässige Daten. Gleiches gilt für die Grenzbereiche. Es lässt sich nicht sagen, ob der Bereich um die 10 Milligramm von 8 bis 12 oder von 6 bis 14 Milligramm reicht.

Ähnlich sind die Resultate im Beitrag »*Systematic Review: Tolerable Amount of Gluten for People With Coeliac Disease*«[C] von Akobeng und Thomas in Ausgabe 2008/11 des Fachmagazins *Alimentary Pharma-*

cology & Therapeutics sowie im Bericht »*Systematic review of safe level of gluten for people with coeliac disease*«[(D)] von Cochrane Australia im Auftrag der australischen Zöliakiegesellschaft aus dem Jahr 2016.

> (C) *„Während einige Patienten im Durchschnitt 34-36 mg pro Tag Gluten vertrugen, kam es bei anderen Patienten, die täglich ca. 10 mg Gluten aufnahmen, zu Schleimhautveränderungen."* (D) *„Das [...] zur Verfügung stehende Nachweismaterial ließ bei Patienten mit einer Aufnahme von ca. 50 mg Gluten/Tag Schleimhautschädigungen im Allgemeinen erkennen. Es gab jedoch keine zuverlässigen Belege, wie sich ein Glutenkonsum im kritischen Bereich von 2 bis 10 mg Gluten/Tag auswirkte."*

Die Frage, wie viel Gluten für mich und jeden anderen Betroffenen am Tag schädlich ist, lässt sich also nicht genau beantworten. Als gesichert gilt, dass 50 Milligramm Gluten täglich zu viel sind. Der Verzehr von 10 Milligramm kann möglich sein – wobei weniger sicherer ist. Damit habe ich immerhin zwei hilfreiche Ansatzpunkte für mein sicher glutenfreies Leben mit Zöliakie.

• • • • •

Jenseits aller Zahlenspiele bleibt die Frage offen, ob ich ungeachtet der Toleranzbereiche bestimmte Glutenproteine überhaupt vertrage, wie etwa die der glutenfreien Weizenstärke, des glutenreduzierten Gerstenmalzes und des als glutenfrei bezeichneten Hafers. Oder die Kombination der Glutenproteine, wenn ich verschiedene Produkte an einem Tag esse und trinke.

Das muss ich wieder für mich und muss jeder Zöliakiebetroffene für sich selbst herausfinden. Es wird sich allerdings zeigen, dass beim Auslösen der Symptome wohl eher kein Zusammenhang zwischen dem Vertragen bestimmter Glutenmengen und dem grundsätzlichen Vertragen der genannten Proteine besteht. Das zeige und erkläre ich gleich genauer im Kapitel über die *Glutenfrei-Ampel*.

Wie sicher der Grenzwert ist

Es lässt sich also nicht genau sagen, wie viel Gluten ich an einem Tag vertrage – oder ein anderer Zöliakiebetroffener verträgt – und ab welcher Glutenmenge Symptome auftreten oder Beschwerden einsetzen. Das führt mich zu der Frage, wie sicher dann der Grenzwert für die glutenfreien Lebensmittel ist.

An dieser Stelle dürfte es wenig überraschend sein, dass die Meinungen der Experten auch beim Grenzwert auseinandergehen.

Dass der Grenzwert im *CODEX STAN 118-1979* festgeschrieben ist, weiß ich bereits. Die 1979 steht für das Jahr, in dem der Codex mit der Nummer 118 verabschiedet wurde. Die 20 mg/kg als Grenzwert für die glutenfreien Lebensmittel wurden wie auch die 100 mg/kg für die Lebensmittel mit einem reduzierten Glutengehalt aber erst im Jahr 2008 festgeschrieben. Mit der Vorgabe von zwei Werten soll berücksichtigt werden, dass Personen mit Glutenunverträglichkeit – im Codex ist nicht von »*celiac disease* ≒ Zöliakie« die Rede – unterschiedlich empfindlich sind, weshalb auf dem Lebensmittelmarkt Produkte mit unterschiedlichen Glutenwerten verfügbar sein sollen.

Diese Lesart ist für mich insoweit neu, als dass ich gerade feststellen musste, dass sich aus den vorliegenden Studien zu den tolerierten Glutengehalten eine solche individuelle Glutenempfindlichkeit in dieser Größenordnung nicht herleiten lässt. Zumindest nicht bei Zöliakiebetroffenen.

Inwieweit hängt also die tägliche Toleranzgrenze einer Person mit einer glutenbedingten Erkrankung überhaupt mit dem festgesetzten Grenzwert für den Glutengehalt in einem glutenfreien Lebensmittel zusammen?

Um die Frage zu beantworten, müssen drei Faktoren berücksichtigt werden, die in einem nicht auflösbaren Verhältnis zueinander stehen: Erstens die Mengen der an einem Tag verzehrten Speisen und

Getränke, zweitens die in den Speisen und Getränken enthaltenen Glutengehalte sowie drittens die Toleranzgrenzen der Zöliakiebetroffenen pro Tag. Das Problem hierbei ist, dass alle drei Faktoren regelmäßig nicht bekannt sind.

Allgemein wird das Problem der drei unbekannten Faktoren in der Fachliteratur umgangen, indem für sie jeweils Mittelwerte eingesetzt werden. Dafür wird aus den Studien abgeleitet, dass die Verzehrmenge an glutenfreien Produkten im Durchschnitt pro Tag bei 300 Gramm liegt. Die angestrebte Toleranzgrenze sind die besagten 10 Milligramm Gluten, die in der genannten Fachliteratur pro Tag überwiegend als sicher gelten.

Werden die Glutengehalte nun auf die Mengen hochgerechnet, die an einem Tag verzehrt werden, ergeben die 20 mg/kg Gluten in den Lebensmitteln eine – wiederum gemittelte – Verzehrmenge von nicht mehr als 6 Milligramm Gluten, …

300 g Lebensmittel x 20 mg/kg Gluten = 6 mg Gluten
[300.000 mg x 20 mg ÷ 1.000.000 mg = 6 mg]

… die für *die meisten* oder *die überwiegende Mehrheit* der Zöliakiebetroffenen als sicher erachtet wird und sogar eine Toleranz von bis zu 4 Milligramm Gluten nach oben enthält.

Das Dumme an der Sache mit einem Mittelwert ist, dass er eben nur gemittelt ist – und somit nur gemittelt sicher. Das Problem der unbekannten Faktoren kann so nicht gelöst werden und die *meisten* oder die *überwiegende Mehrheit der Betroffenen* bleibt stets eine fragwürdige Gruppierung. Folglich bietet das Einsetzen eines Mittelwertes eine angenommene Lösung, ist aber ebenso spekulativ.

Ganz gleich aus welcher Sichtweise ich es betrachte: Der Glutengehalt in einer Speise oder einem Getränk ist alleine gesehen nur eingeschränkt aussagekräftig, weil er stets im Verhältnis zu der Glutenmenge steht, die mit einer Mahlzeit mitverzehrt und die pro Tag vertragen wird. Nur habe ich gerade herausfinden müssen, dass diese Glutenmengen nicht bekannt sind und zwischen vielleicht 10 und wohl höchstens 35 Milligramm Gluten vermutet werden können.

Die Regeln der Mathematik lassen sich nicht außer Kraft setzen und die Ergebnisse einer Wahrscheinlichkeitsrechnung nicht als gesichert einsetzen. Somit ist es nach Adam Riese schlichtweg nicht möglich, dass der Grenzwert von 20 mg/kg Gluten allen Zöliakiebetroffenen die höchstmögliche Sicherheit bietet.

• • • • •

Eine ganz andere Frage ist, wie der Grenzwert für das Avenin des Hafers in den Speisen und Getränken eingehalten wird, wenn der beim Feststellen der Glutengehalte geforderte *R5-basierte ELISA-Test* kein Avenin entdecken kann. Es hat den Anschein, als ob der Grenzwert de facto nicht für das Avenin des Hafers gilt. Ich kann da nur hoffen, dass Zutaten aus oder Kontaminationen mit Hafer zu den Seltenheiten zählen.

Andere Sichtweisen – andere Grenzwerte

Jetzt ist die Erkenntnis, dass die genaue tägliche Toleranzgrenze für Menschen mit Zöliakie unbekannt und mit dem Grenzwert von 20 mg/kg Gluten in den glutenfreien Lebensmitteln nicht für alle zuverlässig abgesichert ist, zwar für mich neu, aber keineswegs in der Welt der Zöliakie. In einigen Ländern gelten deshalb andere Regelungen für glutenfreie Lebensmittel und bieten einige Gesellschaften Zertifizierungen mit niedrigeren Grenzwerten an.

Einige Beispiele für solche Glutenfrei-Kennzeichnungen und auch -Logos, die für einen jeweils niedrigeren Grenzwert stehen, führe ich auf, da die entsprechenden Lebensmittel bei uns in ausgesuchten Geschäften oder Online-Shops gekauft und generell direkt aus den jeweiligen Ländern importiert werden können.

Maximal **10 mg/kg Gluten** und **keine Gerste** dürfen die von der *Gluten-Free Certification Organization* – kurz GFCO – lizenzierten Produkte enthalten. Die GFCO ist eine im Jahr 2005 von der Non-Profit-Organisation *Gluten Intolerance Group of North America* gegründete Zertifizierungsgesellschaft mit Sitz im US-Bundesstaat Washington. Als Non-Profit-Organisation ist ihre Tätigkeit nicht auf Gewinn ausgerichtet. Lizenziert werden nach eigenen Angaben momentan gut 30.000 Artikel aus 29 Ländern, die am Schriftzug »*Certified Gluten Free* ⇆ *Zertifiziert glutenfrei*« in einem grünen Kasten mit einem geschwungenen *g* zu erkennen sind.

Anstelle von 20 Milligramm pro Kilogramm oder mg/kg wird der Glutengehalt eines Lebensmittels international oft mit 20 ppm angegeben. Die Abkürzung *ppm* kommt aus dem Englischen und steht für *parts per million*, auf deutsch [sic] *Teile pro Million*.

1 Teil	pro	1 Million Teile	= 1 part per million
1 Milligramm	pro	1.000.000 Milligramm	= 1 ppm
10 Milligramm	pro	1.000.000 Milligramm	= 10 ppm
20 Milligramm	pro	1.000.000 Milligramm	= 20 ppm
20 Milligramm	pro	1.000.000 Milligramm	= 20 ppm
20 Milligramm	pro	1.000 Gramm	
20 Milligramm	pro	1 Kilogramm	= 20 mg/kg

Nicht mehr als **5 mg/kg Gluten** und **keinen Hafer** darf ein von der *National Celiac Association* – kurz NCA – zertifiziertes glutenfreies Lebensmittel enthalten. Auch die NCA ist eine Non-Profit-Organisation in den USA. Sie hat ihren Sitz in Needham unweit von Boston im US-Bundesstaat Massachusetts und unterstützt gemeinsam mit der kanadischen *Fondation québécoise de la maladie cœliaque* und der *Canadian Celiac Association* das *Gluten-Free Food Program* in den USA und Kanada. Die zertifizierten Produkte sind an einem blau-grünen Symbol »*GF Certified ⇆ Zertifiziert GF*« erkennbar.

Kein Gluten, keinen Hafer und **kein Getreidemalz** dürfen die glutenfreien Lebensmittel in Australien und Neuseeland enthalten. Das ist keine freiwillige Vorgabe einer Zöliakie- oder Zertifizierungsgesellschaft, sondern eine gesetzliche Regelung in den »*Australia New Zealand Food Standards Codes*«.

> *„Das Lebensmittel darf nicht enthalten: (a) nachweisbares Gluten oder b) Hafer oder Hafererzeugnisse oder c) Getreide, die Gluten enthalten, das gemälzt wurde oder entsprechende Getreideprodukte. "*

In Australien und Neuseeland ist die *Food Standards Australia New Zealand* – kurz FSANZ – die für die Kennzeichnung, Kontrolle und Sicherheit von Lebensmitteln zuständige Behörde und sie fordert, dass der Glutengehalt in glutenfreien Speisen und Getränken generell unter der technisch erreichbaren Nachweisgrenze liegen muss, damit ein als glutenfrei ausgewiesenes Lebensmittel auch wirklich kein Gluten enthält. Die derzeit technisch niedrigst mögliche Nachweisgrenze liegt nebenbei bemerkt mit 3 Milligramm pro Kilogramm um mehr als ein Drittel unter den im *CODEX STAN 118-1979* maximal geforderten 10 mg/kg.

Nun muss ich nicht erst den Taschenrechner zücken, um auszurechnen und herauszufinden, dass die gemäß Codex glutenfreien Produkte mit erlaubten 20 Milligramm Gluten pro Kilogramm den geforderten Standard der FSANZ regelmäßig nicht erfüllen können. Die nach Codex zugelassenen und zertifizierten glutenfreien Lebensmittel sind deshalb in Australien und Neuseeland nicht verboten. Sie dürfen dort mit dem Glutenfrei-Symbol als Kennzeichen für die

Glutenfreiheit nach Codex auch verkauft – aber nicht als glutenfrei bezeichnet, gekennzeichnet oder beworben werden.

Auf der Verpackung der nach Codex glutenfreien Lebensmittel darf also nicht das Wort *glutenfrei* stehen, wie es unter anderem auf der Webseite der neuseeländischen Zöliakiegesellschaft *Coeliac New Zealand* erklärt wird.

> *„Wenn die durchgestrichene Ähre in Neuseeland oder Australien als eingetragenes Warenzeichen gemäß dem Codex-Standard genutzt wird, ist die Verwendung der Bezeichnung ‚glutenfrei' auf Verpackungs-, Werbe- oder Marketingmaterial nicht gestattet."*

Von der *Coeliac New Zealand* zertifizierte glutenfreie Produkte sind deshalb am Glutenfrei-Symbol und den mit »CERT TM« erweiterten Schriftzug »*Gluten free ⇆ glutenfrei*« erkennbar.

Die australische Zöliakiegesellschaft *Coeliac Australia* verwendet für die von ihr zertifizierten Produkte dagegen nur ihr hauseigenes Symbol »*Gluten free - Endorsed by Coeliac Australia ⇆ Glutenfrei - bestätigt durch Coeliac Australia*«, um von vornherein jede Verwechslung mit den gemäß Codex glutenfreien Produkten auszuschließen.

• • • • •

Und so ist es dann nicht nur möglich, sondern kommt es auch vor, dass ein und dasselbe Lebensmittel in einem Land – etwa einem der Europäischen Union – als glutenfrei gilt und in einem anderen nicht als glutenfrei gekennzeichnet werden darf.

Du musst nicht nur mit dem Munde,
sondern auch mit dem Kopfe essen,
damit dich nicht die Naschhaftigkeit des Mundes zugrunde richtet.
Friedrich Nietzsche

Die Glutenfrei-Ampel

Das Senken des Grenzwertes ist – wie gerade gezeigt – ein sehr eleganter Weg, um die Sicherheit beim Verzehr glutenfreier Lebensmittel zu erhöhen. Der Haken dabei ist, dass in den Ländern der EU das Gros der glutenfreien Produkte glutenfrei gemäß Codex und ein höherer Schutz somit Wunschdenken ist. Auch machen die Lebensmittel nur einen Teil der glutenfreien Diät aus, deren Zubereitung den anderen und der geht immer mit einem höheren Risiko einher. Ich muss für einen umfassenderen oder besseren Schutz und damit aus einem sicher glutenfreien Leben für die überwiegende Mehrheit der Zöliakiebetroffenen ein sicheres Leben ohne Gluten für alle Betroffenen wird, folglich eine andere Lösung finden.

Meine Lösung oder besser mein System basiert auf einer einfachen und breit gefächerten Methode, mit der in jeder Situation für eine Speise oder ein Getränk die Entscheidung über das Essen oder Nicht-Essen und Trinken oder Nicht-Trinken steht und fällt. Ich vergleiche es mit einer Verzehrampel, die mir eine freie Richtung anzeigt – eine *Glutenfrei-Ampel*, die für alle Zöliakiebetroffene funktioniert.

Das Grundprinzip der *Glutenfrei-Ampel* ist eine Risikobewertung und die ist schnell erklärt: Meine Verzehrampel steht für das Essen und Trinken bei allen Speisen und Getränken zunächst auf Rot. Erst wenn ich die Speise oder das Getränk in Bezug auf einen Glutengehalt eindeutig als sicher bewerten kann und auch eine Kontamination sicher ausgeschlossen ist, schaltet die Ampel um auf Grün. In einigen Situationen auch nur auf ein warnend blinkendes Gelb, wenn weitere Risiken kalkuliert werden müssen.

Was ist im Leben ohne Gluten ein Risiko? Wissenschaftlich ist es die Wahrscheinlichkeit des Eintretens eines Schadens sowie das Ausmaß eines möglichen Schadens. Für mich ist ein Risiko eine Situation in der Zukunft, die gar nicht erst eintreten soll. Dank meiner Risikobewertungen für die *Glutenfrei-Ampel* erkenne, analysiere und bewerte ich die Risiken in den unterschiedlichen Alltagssituationen, kann mich so schützen und das glutenfreie Leben meistern.

Setze ich die Risikobewertungen konsequent ein, bin ich fast immer in der Lage, die Glutenbelastung in Speisen oder Getränken richtig einzuschätzen und meide dank meiner *Glutenfrei-Ampel* nicht aus Angst vor einem Glutenunfall mehr Speisen und Getränke, als es wegen der Zöliakie sowieso schon notwendig ist – jedoch alle Speisen und Getränke, die ich zwingend meiden muss.

Damit die *Glutenfrei-Ampel* zuverlässig funktioniert, fließen in die Risikobewertungen natürlich alle bisher gewonnenen Erkenntnisse ein. Sie ermöglichen das Abwägen der Glutengehalte in den Lebensmitteln und der herstellungs- oder verarbeitungsbedingten Kontaminationen der Speisen und Getränke. Wie hoch kann eine Glutenbelastung sein und wie sicher ist eine Verunreinigung auszuschließen? Möglich wird das Abwägen durch das jeweilige Verhältnis von den Grenzwerten zu den täglichen Toleranzen. Wie das genau funktioniert, erkläre ich gleich Schritt für Schritt.

Zuvor stoße auch ich auf das Problem der drei unbekannten Faktoren. Um mehr Spielraum bei der Lösung des Problems zu haben und gleichzeitig die Sicherheit zu erhöhen, halbiere ich für die Risikobewertung als erstes die in der Fachliteratur als sicher geltende Untergrenze von 10 auf noch sicherere 5 Milligramm Gluten pro Tag.

Glutenmenge *(mg/Tag)*	0	5	10	15	20	25	30	35	40	45	50
Sicher		⬜⬜⬜⬜									
unter Vorbehalt sicher		⬜⬜⬜⬜??									

⬜⬜ Toleranzbereich | ?? Unsicherheitsbereich

Das Absichern der Glutenmengen

Jetzt komme auch ich nicht umhin, für den höchsten Schutz die Glutenmenge zu ermitteln, die ich beim Essen und Trinken mitverzehre. Nur musste ich ja eben feststellen, dass diese Glutenmengen unbekannt sind. Mein Lösungsweg führt deshalb über die erlaubten und möglichen Glutengehalte in den Lebensmitteln, einen kleinen Trick sowie ein klein wenig einfache Mathematik. Etwas Multiplikation und Division, nicht mehr. Und so sieht mein Rechenweg aus:

Glutengehalt ÷ 1.000 x Verzehrmenge = verzehrte Glutenmenge

Wie der Rechenweg funktioniert, zeige ich Schritt für Schritt anhand eines Beispiels, mit dem ich auch den Beleg für die Behauptung nachreiche, nicht jedes Milligramm Gluten meiden zu müssen. Denn trotz Zöliakie kann ich in der Regel eine kleine Menge eines glutenbelasteten Produkts essen, ohne Probleme bekommen zu müssen.

Für das Beispiel nehme ich eine Packung mit Kokoskeksen, die 200 Gramm beziehungsweise 40 Kekse enthält und auf der keine glutenhaltige Zutat ausgewiesen ist. Bei einer Überprüfung stellt sich heraus, dass die Kekse mit 80 mg/kg Gluten gleichmäßig belastet sind.

Doch habe ich, wenn ich einen solchen Keks esse, auf einen Schlag sofort 80 Milligramm Gluten abbekommen? Nein, denn ein Keks enthält keine 80, sondern lediglich 0,4 Milligramm Gluten.

Warum ist das so? Um das herauszufinden, teile ich zuerst die festgestellte Glutenbelastung durch 1.000, da sich der Glutengehalt stets auf 1 Kilogramm bezieht, was nicht nur 1.000 Gramm, sondern auch der gängigen Mengenangabe für Lebensmittel entspricht.

GLUTENGEHALT ÷ 1.000 X VERZEHRMENGE = VERZEHRTE GLUTENMENGE
80 ÷ 1.000 = 0,08
[80 mg x 1.000.000 mg = 0,00008 mg]

Das Ergebnis – 0,08 – multipliziere ich mit der Verzehrmenge, hier sind das die 200 Gramm des Füllgewichts der Kekspackung.

GLUTENGEHALT ÷ 1.000 X VERZEHRMENGE = VERZEHRTE GLUTENMENGE
(80 ÷ 1.000 = 0,08)
0,08 x 200 = 16 (mg Gluten)
[0,00008 mg x 200.000 mg = 16 mg]

Die Packung Kekse enthält insgesamt also 16 Milligramm Gluten. Da sich die 200 Gramm der Füllmenge über 40 Kekse verteilen, sind die 16 Milligramm noch durch 40 zu teilen und schon weiß ich, dass ich mit jedem Keks 0,4 Milligramm Gluten verzehre.

16 mg Gluten ÷ 40 (Kekse) = **0,4 mg Gluten** (pro Keks)

Esse ich einen der mit 80 mg/kg Gluten belasteten Kekse, bleibe ich mit 0,4 Milligramm verzehrtem Gluten also weit unterhalb einer kritischen täglichen Glutenmenge – und das unabhängig davon, ob ich die mit 5 oder 10 Milligramm Gluten pro Tag ansetze. Selbst beim Essen von 10 Keksen bekomme ich nicht mehr als 4 Milligramm Gluten ab. Orientiere ich mich an den als sicher geltenden 10 oder den noch sichereren 5 Milligramm Gluten pro Tag, kann ich allgemein gesehen 50 beziehungsweise 100 Gramm eines mit 80 mg/kg Gluten belasteten Lebensmittels essen, ohne die Toleranzen zu erreichen.

GLUTENGEHALT ÷ 1.000 X VERZEHRMENGE = VERZEHRTE GLUTENMENGE
80 ÷ 1.000 x **50** = 4 (mg Gluten)   < 5 mg
80 ÷ 1.000 x **100** = 8 (mg Gluten)   < 10 mg

Der Glutengehalt eines Produkts sagt allein also erst einmal wenig aus. Das Essen von 2, 3 oder 5 mit 80 mg/kg kontaminierten Keksen wird sich bei einer Glutenverzehrmenge von nicht mehr als 2 Milligramm wahrscheinlich bei keinem Zöliakiebetroffenen negativ auswirken. Und das ist der Grund, warum ich im Allgemeinen nicht jedes Milligramm Gluten meiden muss. Bei gegessenen 20 Keksen und verzehrten 8 Milligramm Gluten werden aber ebenso wahrscheinlich einige Zöliakiebetroffene ihre tägliche Toleranzgrenze überschreiten.

80 ÷ 1.000 x 100 (20 Kekse à 5 Gramm) = 8 (mg Gluten)

Und was passiert bei einer höheren Glutenbelastung? Mein gerade angeführtes Beispiel ist nicht frei erfunden. Vor einiger Zeit wurden Kekse entdeckt, die mit 200 mg/kg Gluten kontaminiert waren. Das klingt nach sehr viel, doch folge ich meiner Beispielrechnung, enthielten die Kekse insgesamt 40 Milligramm Gluten und war ein Keks mit 1 Milligramm Gluten belastet.

GLUTENGEHALT ÷ 1.000 X VERZEHRMENGE = VERZEHRTE GLUTENMENGE
200 ÷ 1.000 = 0,5
0,5 x 200 = 40
40 ÷ 40 (Kekse) = **1,0 mg Gluten** (pro Keks)

Es bleibt dabei: Auch eine Kontamination mit 200 mg/kg Gluten sagt erst einmal nicht viel aus. Orientiere ich mich wiederum an den 10 Milligramm Gluten pro Tag, kann ich 9 kontaminierte Kekse essen und bleibe dennoch im sicheren täglichen Toleranzbereich, da 9 mal 1 Milligramm Gluten bekanntlich 9 ergibt.

200 ÷ 1.000 x 45 (9 Kekse à 5 Gramm) = 9 (mg Gluten)

Es kommt also nicht allein auf den Glutengehalt in einem Produkt an. Entscheidend ist das feste Verhältnis vom Glutengehalt zur Verzehrmenge in Bezug zur Toleranzgrenze. Bleibe ich bei dieser Regelmäßigkeit, kann ich selbst 5 mit 400 mg/kg oder 2 mit 1.000 mg/kg

Gluten belastete Kekse essen, ohne die als sicher geltenden 10 Milligramm Gluten zu überschreiten.

GLUTENGEHALT ÷ 1.000 X VERZEHRMENGE = VERZEHRTE GLUTENMENGE
400 ÷ 1.000 x 25 (5 Kekse à 5 Gramm) = 10 (mg Gluten)
1.000 ÷ 1.000 x 10 (2 Kekse à 5 Gramm) = 10 (mg Gluten)

Doch Vorsicht, die Glutenbelastung lässt sich nicht beliebig erhöhen. Möchte ich 10 Milligramm Gluten pro Tag nicht überschreiten, ist bei den Beispielen der belasteten Kekse bei einer Kontamination mit 2.000 Milligramm Gluten beim Verzehr von nur einem Keks die Tagestoleranz erreicht. Bei angestrebten 5 Milligramm Gluten täglich darf die Glutenbelastung freilich nur halb so hoch sein.

GLUTENGEHALT ÷ 1.000 X VERZEHRMENGE = VERZEHRTE GLUTENMENGE
2.000 ÷ 1.000 x 5 (1 Keks) = 10 (mg Gluten)
1.000 ÷ 1.000 x 5 (1 Keks) = 5 (mg Gluten)

Hier noch einmal in der Übersicht, wie das rechnerische Verhältnis von einer Verzehrmenge zu einem Glutengehalt im Lebensmittel zu verstehen ist:

GLUTENGEHALT	VERZEHRMENGE	VERZEHRTE GLUTENMENGE
1 Milligramm	10.000 Gramm	10 Milligramm
10 Milligramm	1.000 Gramm	10 Milligramm
100 Milligramm	100 Gramm	10 Milligramm
1.000 Milligramm	10 Gramm	10 Milligramm
10.000 Milligramm	1 Gramm	10 Milligramm

Sinkt die Verzehrmenge um denselben Faktor, um den der Glutengehalt steigt, bleibt die verzehrte Glutenmenge immer gleich. Das ist natürlich auch dann so, wenn die Verzehrmenge um denselben Faktor steigt, um den der Glutengehalt sinkt.

Was aber mache ich, wenn ich den Glutengehalt in einem Lebensmittel – wie es im Alltag die Regel ist – nicht kenne? Dann kommt der eben erwähnte kleine Trick ins Spiel. Ich deckele die Glutengehalte und sichere sie somit ab.

Für den Trick greife ich aus den gesetzlichen Vorgaben auf die 20 mg/kg als Grenzwert für glutenfreie Lebensmittel, die 100 mg/kg für die Lebensmittel mit geringem Glutengehalt sowie die 80 mg/kg als maximal erlaubte Menge einer Kontamination zurück. Auch mit diesen drei Werten kann ich eine verzehrte Glutenmenge nicht genau ermitteln. Das muss ich aber auch nicht. Es reicht, wenn ich sie nach oben begrenzen und dadurch absichern kann.

Den Trick mit dem Deckeln und Absichern der Glutengehalte erkläre ich am Beispiel einer Tafel Schokolade mit Knusperfüllung à 100 Gramm: Ist die Tafel Schokolade als glutenfrei gemäß Codex ausgewiesen, darf sie mit einer oder ohne eine Zutat aus einem glutenhaltigen Getreide maximal 2 Milligramm Gluten enthalten.

GLUTENGEHALT ÷ 1.000 X VERZEHRMENGE = VERZEHRTE GLUTENMENGE
20 ÷ 1.000 x 100 = 2 (mg Gluten)

Steht im Zutatenverzeichnis der Tafel Schokolade keine glutenhaltige Zutat, darf sie mit oder ohne Spurenhinweis – auf den komme ich später zurück – maximal 8 Milligramm Gluten enthalten. 10 Milligramm Gluten darf die Tafel Schokolade schließlich enthalten, wenn sie mit dem Hinweis *sehr geringer Glutengehalt* gekennzeichnet ist.

GLUTENGEHALT ÷ 1.000 X VERZEHRMENGE = VERZEHRTE GLUTENMENGE
80 ÷ 1.000 x 100 = 8 (mg Gluten)
100 ÷ 1.000 x 100 = 10 (mg Gluten)

In allen Fällen bleibt die Berechnung entsprechend einfach, nur erhalte ich anstelle eines genauen Ergebnisses jetzt ein wahrscheinliches – ein angenommenes – Ergebnis. Das bedeutet, dass weder in der als glutenfrei ausgewiesenen Tafel Schokolade 2 Milligramm Gluten, noch in der Tafel Schokolade ohne glutenhaltige Zutat 8 oder in der mit dem geringen Glutengehalt 10 Milligramm Gluten enthalten sein müssen. Der entscheidende Punkt ist, dass ich es nicht weiß. Und somit kann ich es nicht ausschließen. Sicher ist nur, dass der Glutengehalt nicht mehr als 2, 8 oder 10 Milligramm beträgt.

Das Herantasten an die Toleranzen – ich irre mich zum Erfolg

Auch wenn das Absichern der Glutenmengen mit den Ergebnissen von 90 Prozent der Studienteilnehmer auf einer soliden Grundlage basiert, weiß ich immer noch nicht, wie viel Gluten mein Immunsystem an einem Tag beschwerdefrei akzeptiert. Ohne genauen Wert ist meine persönliche Toleranzgrenze eher eine gefühlte Grenze und deshalb gleicht das Herausfinden meiner täglichen Toleranz auch mehr einem vorsichtigen Ausprobieren oder Herantasten: Reagiere ich bereits auf kleinste Mengen Gluten, muss ich auch auf kleinste Glutenmengen achten.

Gehöre ich zu den Zöliakiebetroffenen, die etwas mehr Spielraum bei der Toleranz haben, darf ich es beim Herantasten dennoch nicht übertreiben. Die Rede ist nach wie vor von tolerierten Glutenmengen von sicheren 5 bis vielleicht 10 oder in einzelnen Fällen möglichen 20 bis 35 Milligramm Gluten – pro Tag, nicht pro Mahlzeit.

Eine solche Glutenmenge kann ich nicht sehen, nicht riechen und nicht schmecken. Vor allem aber kann ich sie unter normalen Alltagsbedingungen in einer Speise oder einem Getränk nicht entdecken. Ich kann sie höchstens vermuten und das bedeutet, dass ich um ein gewisses Maß an Spekulation nicht herumkomme.

Immerhin lassen sich aus den Zahlen der ausgewerteten Studien sowie den in der Fachliteratur dokumentierten Erfahrungswerten einige Eckdaten und Toleranzbereiche für das vorsichtige Ausloten der täglich verträglichen Glutenmenge festlegen. Schaue ich mir das Ergebnis meiner Studienauswertung unter diesen Aspekten noch einmal an, kann ich die ermittelten Toleranzen als Anhaltspunkte für eine erste Orientierung in vier Bereiche unterteilen:

Toleranzbereiche mit der Glutenfrei-Ampel

0 bis 5 Milligramm Gluten pro Tag: **sicher**
5 bis 10 Milligramm Gluten pro Tag: **unter Vorbehalt sicher**
über 10 Milligramm Gluten pro Tag: **möglich**
ab 50 Milligramm Gluten pro Tag: **kritisch**

Soll das jetzt heißen, dass ich bei jedem Essen und jedem Getränk einen Taschenrechner zücke, um so genau wie möglich die Verzehrmengen auszurechnen?

Nein und ja. Ich weiß, dass ich im Alltag nicht jeden Glutengehalt entdecken kann und unweigerlich das eine oder andere Milligramm abbekomme. Nicht wissen kann ich, ob die gesetzlichen Vorgaben immer eingehalten werden. Deshalb muss ich nicht in Panik geraten, die an einem Tag verzehrten Glutenmengen aber im Blick haben und dabei hilft mir die Berechnung der Verzehrmenge. Das Ergebnis ist ein Faktor der Glutenfrei-Ampel und die zeigt mir die mit dem Essen oder Trinken eines Lebensmittels verbundenen Risiken, aber ebenso die Möglichkeiten.

Zur Erinnerung: Die Auswertung der Studien hat zwar gezeigt, dass der Verzehr einer größeren Glutenmenge am Tag nicht unmöglich ist, das darf aber auf keinen Fall verallgemeinert werden. Weder kann ich jemand anderem, noch kann mir jemand eine genaue Zahl für eine Glutenmenge nennen, die kritisch ist.

Was heißt das jetzt für mich? Das mit dem Herantasten und Ausprobieren an meine tägliche Toleranz ist natürlich so eine Sache. Vor allem, wenn mir nicht alle Faktoren bekannt sind. Und wenig überraschend habe ich keine Lust, einen Glutenunfall mit den entsprechenden – teils heftigen – Folgen zu riskieren.

Möchte ich dennoch nicht auf bestimmte Produkte verzichten, bleibt mir nur eine Möglichkeit: *Trial and error*, wie es im Englischen heißt. Versuch und Irrtum. Ich irre mich förmlich zum Erfolg, indem ich ein bestimmtes Produkt oder eine bestimmte Menge eines Produkts esse oder trinke und schaue, ob etwas passiert.

Damit ist freilich auch dieses Mal nicht gemeint, dass ich alle möglichen Speisen ausprobiere und auf den Glutenunfall förmlich warte. Von der Tafel Schokolade mit Knusperfüllung esse ich nicht vier Riegel, sondern einen. Oder von den Chips aus einer 175-Gramm-Tüte nur eine Hand voll. Von dem Brot mit glutenfreier Weizenstärke esse ich nicht zwei Scheiben, sondern eine halbe. Vom Bier mit Gerstenmalz trinke ich ein Glas und keine Flasche oder statt einer großen Schale glutenfreier Haferflocken esse ich eine kleine.

Allerdings irre ich mich nicht nur zum Erfolg, wenn nach dem Essen und Trinken nichts passiert. Der Irrtum selbst ist der Erfolg, wenn sich nach dem Versuch kleinste Anzeichen von Beschwerden einstellen, weil ich dann weiß, was ich nicht essen kann.

Aber führt eine kleinere Verzehrmenge auch nur zu kleineren Beschwerden und geringen Symptomen oder kann sie ebenfalls schlimmere Folgen haben? Die Antwort auf diese Frage ist leider Teil des Ausprobierens. Sicher ist nur, dass ich mit jedem Fehlversuch mehr Erfahrungen sammle und deshalb mein Leben ohne Gluten mit jedem Irrtum immer auch ein gutes Stück sicherer wird.

Beim Herantasten darf ich ebenso nicht vergessen, dass mir das Gluten nicht den Gefallen tut, sich in Bezug auf die Heftigkeit der Beschwerden einheitlich oder gar kalkulierbar zu verhalten. In den ersten Wochen des glutenfreien Lebens ist es daher nicht verkehrt, wenn ich mich auf die Lebensmittel beschränke, die von Natur aus kein Gluten enthalten, sowie auf die als glutenfrei gekennzeichneten Produkte – aber nur die ohne eine glutenhaltige Zutat. An die sollte ich mich erst vorsichtig herantasten, wenn meine Zöliakie abgeklungen ist und sich das Immunsystem vollständig erholt hat.

Gehöre ich zu den Zöliakiebetroffenen, die auf eine kleine Glutenmenge nicht oder nur mit geringen Symptomen reagieren, habe ich etwas mehr Spielraum, darf das Ausprobieren aber nicht übertreiben. Vor allem dann nicht, wenn nach dem Essen und Trinken keine Reaktion eintritt. Das Ausbleiben ist nie ein zuverlässiger Indikator für eine nicht stattfindende Autoimmunreaktion. Die Bildung von Antikörpern wird beim Überschreiten der Toleranz dennoch einsetzen und bei einem zu häufigen Überschreiten kommen dann die Prozesse in Gang, die – letztlich unbemerkt – zu einer Dünndarmschädigung führen.

Natürlich ist es eine Binsenweisheit, dass ich für mich selbst entscheiden muss, an welcher Glutenmenge ich mich orientiere und ob ich in der Welt der Zöliakie einen ganz sicheren Weg, einen meist sicheren Mittelweg oder gar einen riskanten Weg einschlage. Der Weg bestimmt letzten Endes zwar das Risiko, der entscheidende Punkt ist aber, dass ich mir der möglichen und der tatsächlichen Risiken bewusst bin.

• • • • •

Ob ich mit dem Herantasten an meine persönliche Toleranzgrenze richtig liege oder meinen eingeschlagenen Kurs korrigieren muss, zeigt sich kurz nach der Diagnose am zügig einsetzenden Rückgang und in der Folgezeit am Ausbleiben der Beschwerden. Da – wie gerade erörtert – eine Beschwerdefreiheit allein kein zuverlässiger Indikator für das Ausbleiben einer Autoimmunreaktion ist, ist es nicht verkehrt, die Blutwerte erstmals ein Vierteljahr nach der Diagnose überprüfen zu lassen.

Dafür funktioniert übrigens nur die Bestimmung der Antikörper im Blutbild zuverlässig. Später zeigt eine halb- und dann jährliche Überprüfung, ob im Leben ohne Gluten alles richtig läuft. Die Faust-formel ist recht simpel: keine Antikörper, keine Entzündungen, keine Beschwerden.

Die persönliche Risikoeinschätzung

Ob feststehend oder nicht auszuschließen, addieren sich alle ver-zehrten Glutenmengen zu einer Tagessumme auf, die im Verhältnis zu meiner persönlichen täglichen Toleranzgrenze steht. Die Ermitt-lung beziehungsweise Absicherung der mit den Speisen und Geträn-ken mitverzehrten Glutenmengen ist also ein wichtiger Faktor bei der *Glutenfrei-Ampel*, aber lediglich auf die Lebensmittel bezogen.

Die Glutengehalte, die situationsbedingt von außen – ganz gleich, ob beabsichtigt oder unbeabsichtigt – in eine Speise oder ein Getränk gelangen, lassen sich weder erfassen, noch berechnen. Deshalb ist die Einschätzung des Risikos in der jeweiligen Situation ein weiterer wichtiger Faktor.

Wie die Überschrift des Kapitels bereits verrät, ist die Risikoein-schätzung nicht pauschal, sondern nur personenbezogen möglich. Ein Grund dafür ist erneut die Komplexität der Zöliakie mit den un-einheitlichen persönlichen Toleranzgrenzen sowie den in Relation dazu bei jedem Zöliakiebetroffenen unterschiedlich auftretenden Re-aktionen auf die jeweiligen Glutenmengen.

Möchte oder muss ich innerhalb meiner Grenzen und Möglich-keiten auf der sicheren Seite bleiben, meide ich jedes Risiko so gut es geht. Nur vorsichtig taste ich mich an die Produkte mit unklarem

Glutengehalt oder die glutenfreien Lebensmittel mit einer glutenhaltigen Zutat heran und baue mir so einen nach und nach größer werdenden Erfahrungsschatz auf. Nehme ich ein höheres Risiko in Kauf, werde ich die Sache vielleicht forscher angehen – aber auf keinen Fall sicherer.

Das A und O beim sicher glutenfreien Leben ist ein konsequentes Handeln. Kann ich bei einem Lebensmittel nicht sicher feststellen, dass es keine kritische Menge Gluten enthält, muss ich die Verzehrmenge auf ein sicheres Maß reduzieren und wenn das nicht möglich ist, das Produkt weglassen.

Dieses Vorgehen ist zweifelsohne mit Einschränkungen verbunden und vielleicht sogar dem einen oder anderen Verzicht, der nicht nötig gewesen wäre. Nur gehört auch das zu meinem sicheren Leben ohne Gluten. Ich nehme lieber einmal einen vielleicht unnötigen Verzicht in Kauf, als einmal unnötige Beschwerden.

MERKE: *Kann ich bei einem Lebensmittel einen Glutengehalt nicht sicher ausschließen, muss ich auf den Verzehr verzichten.*

Die Sicherheit und das Sicherheitsgefühl sind die anderen Gründe für die ausschließlich personenbezogene Risikoeinschätzung. Der Begriff *Sicherheit* lässt sich personenübergreifend nicht abschließend definieren, da Sicherheit als Abwesenheit, Ausbleiben oder Fehlen einer Bedrohung gesehen wird und diesen Zustand bewertet jeder Mensch nun einmal anders.

Die Regelungen in Codex und Verordnung stehen für eine allgemeine Sicherheit im glutenfreien Leben, die von den Verfassern der Standards und Gesetze aus diversen Empfehlungen und Studien, aber auch Einflussnahmen – dazu später mehr – als für sie logische und plausible Schlussfolgerung hergeleitet und festgeschrieben werden. Diesen Sichtweisen steht mein persönliches Sicherheitsgefühl entgegen und ich reagiere immer auf die Gegebenheiten, die ich selbst erlebe und nicht auf irgendwelche statistisch erfassten. Dementsprechend muss die allgemeine Sicherheit keineswegs mit dem eigenen Sicherheitsgefühl übereinstimmen.

Maßgeblich für die Bewertung ist allerdings immer das persönlich empfundene Sicherheitsgefühl. Wenn ich nach dem Verzehr eines glutenfreien Brotes mit glutenfreier Weizenstärke, eines glutenfreien Biers mit Gersten- oder Weizenmalz oder eines Müslis mit glutenfreien Haferflocken die zöliakietypischen Beschwerden verspüre, werde ich die Produkte nie und nimmer als sicher glutenfrei empfinden, selbst wenn sie überdeutlich als glutenfrei gekennzeichnet sind und fünf Glutenfrei-Symbole auf der Verpackung prangen.

Zwei weitere Aspekte sind mit dem je nach Person anders ausgeprägten Sicherheitsgefühl eng verbunden: einerseits die Freiwilligkeit des selbstgewählten Risikos, andererseits die erlebte Kontrolle.

Ob mit positivem oder negativem Ausgang kann ich jedes Ereignis und jede Konsequenz beeinflussen und das Resultat verändert meine Risikoeinschätzung und -bewertung in Bezug auf einzelne Produkte, Situationen und Gegebenheiten.

Bei aller gegebenen Freiwilligkeit darf ich wiederum nicht vergessen, dass es bei der Bewertung eines Produkts oder einer Situation – vor allem bei einer scheinbar eindeutigen – sehr wichtig ist, dass ich keine voreiligen Schlüsse aus einem Teilaspekt ziehe, sondern stets das differenzierte Gesamtbild betrachte.

Ebenso muss ich unbedingt darauf achten, kein Ergebnis einer Risikobewertung – weder für eine Speise oder ein Getränk, noch für eine Situation – dauerhaft als sicher oder gesichert für mich abzuspeichern. Stattdessen ist es zwingend notwendig, jede Situation und jedes Produkt jedes Mal wieder aufs Neue zu bewerten und vor allem als sicher zu bestätigen.

Richtung Möglichkeit oder Richtung Risiko

Jetzt gilt es, aus den gewonnenen Erkenntnissen über die Glutengehalte und die persönlichen Toleranzgrenzen die richtigen Rückschlüsse für mein sicheres Leben ohne Gluten zu ziehen.

Welches Risiko besteht überhaupt bei welchem Lebensmittel und wie sind die Risiken für die in den jeweiligen Alltagssituationen – aber selbstverständlich auch bei besonderen Anlässen – zubereiteten Speisen und Getränke zu bewerten?

Das größte Problem bei den Risikobewertungen sind erneut die Kontaminationen. Können die bei einem eingekauften wie auch bei einem selbst verarbeiteten Lebensmittel noch recht sicher gehändelt werden, sind sie bei außer Haus oder von anderen Personen zubereiteten Speisen und Getränken kaum kalkulierbar.

Ein anderes Problem ist, dass ich bei der Bewertung eines Risikos regelmäßig äußeren Einflüssen ausgesetzt bin – sprich den Meinungen anderer Personen. Schließlich lebe ich nicht auf einer einsamen Insel, sondern in einer Gesellschaft, deren Mitglieder in einem stetigen Miteinander und Austausch leben.

Damit keines der Probleme meine Risikobewertung verzerrt und ich alle Gefahren frühzeitig erkennen und abwehren kann, brauche ich Leit- und Richtlinien, die mir dabei helfen, die richtigen Entscheidungen zu treffen.

Für das Problem der Kontaminationen und unklaren sowie unkalkulierbaren Glutengehalte stelle ich die Leitlinie auf, dass sich die Risikoeinschätzung nie nach einem Umstand richtet, der *vielleicht so ist* oder *sein kann*. Allein die Fakten sind entscheidend.

MERKE: *Kann ich ein Lebensmittel nicht sicher einschätzen, darf ich es nicht essen beziehungsweise trinken. Kann ich ein anderes einzunehmendes oder verschluckbares Produkt nicht sicher einschätzen, muss ich dieses Produkt weglassen.*

Sind für eine Risikobewertung die Fakten nicht gesichert oder reichen sie für eine abschließende Bewertung nicht aus, sind immer die Aspekte ausschlaggebend, die ich nicht ausschließen kann. Für Annahmen, Mutmaßungen oder sonstige Spekulationen ist wie für jegliches Wunschdenken bei meinen Risikobewertungen kein Platz!

MERKE: *Kann ich etwas nicht wissen, kann ich es nicht ausschließen.*

Dem Problem der äußeren Einflüsse stelle ich die Leitlinie entgegen, dass das, was für mich als Zöliakiebetroffenen gilt, noch lange nicht für einen anderen gilt. Weder kann ich aus den Erfahrungen eines anderen Zöliakiebetroffenen eine sichere Schlussfolgerung für mich ziehen, noch meine Erfahrungen als sichere Schlussfolgerung an einen anderen weitergeben.

MERKE: *Was für einen Zöliakiebetroffenen gilt, gilt für einen anderen noch lange nicht.*

Grundsätzlich zielt die *Glutenfrei-Ampel* auf den höchstmöglichen Schutz für alle Zöliakiebetroffenen ab, vor allem aber auf den Schutz derjenigen, die bereits auf kleinste Mengen oder geringste Spuren von Gluten reagieren. Die *Glutenfrei-Ampel* zeigt die Risiken und die Möglichkeiten. Damit das zuverlässig funktioniert, gelten immer die Regeln, die den höchsten Schutz bieten.

Davon ausgehend kann ich, wenn ich das Glück habe, nicht auf kleinste Glutenmengen zu reagieren, meine Risikobewertungen anpassen. Dafür gilt meine letzte Leitlinie: Kein Betroffener wird in der Welt der Zöliakie aus seiner Eigenverantwortung entlassen.

MERKE: *Die Entscheidung, eine Speise zu essen, ein Getränk zu trinken oder ein Produkt zu nehmen beziehungsweise zu verwenden, liegt letztlich ganz allein bei mir.*

Die Glutenfrei-Ampel für die Lebensmittel

Bislang standen für die persönlichen Toleranzbereiche pro Tag nur Glutenmengen in abstrakten und Milligramm gemessenen Größenordnungen. Jetzt ordne ich den täglichen Glutenmengen die jeweils möglichen Verzehrmengen zu, unter denen ich mir schon viel eher etwas vorstellen kann.

Je nach Lebensmittel birgt dessen Verzehr ein unterschiedlich hohes Risiko für mich. Das Ziel meiner *Glutenfrei-Ampel* mit den Risikobewertungen ist jetzt aber keine erweiterte oder neue Zusammenstellung von verbotenen Lebensmitteln, sondern vielmehr das Aufzeigen der Möglichkeiten bei den Speisen und Getränken in den jeweiligen Alltags- oder auch besonderen Situationen.

Weiß ich, wie hoch das Risiko einer Glutenbelastung bei einem Lebensmittel ist beziehungsweise wie hoch das Risiko sein kann, kann ich daraus die Möglichkeiten ableiten, die mir das Leben ohne Gluten bietet.

Bei den jetzt folgenden Risikobewertungen bleiben die glutenhaltigen Lebensmittel – sprich die aus oder mit beliebigen Mengen einer glutenhaltigen Zutat – natürlich außen vor, die Getränke fasse ich zur besseren Übersicht in einem eigenen Kapitel zusammen.

Lebensmittel, von Natur aus ohne Gluten

Da ich weiß, dass sich das von mir gesuchte Gluten nur im Korn der Getreide Gerste, Hafer, Roggen und Weizen sowie deren Unterarten findet, führt mich das erneut zu einer guten Nachricht: Alle anderen Lebensmittel enthalten von Natur aus kein Gluten.

Bei einer sorgfältigen Handhabung besteht also kein Risiko einer Glutenbelastung. Entscheidend hierfür ist aber die naturbelassene

Herstellung und Verarbeitung des Lebensmittels. Naturbelassen bedeutet, dass ein Produkt in seiner natürlichen Substanz unverändert bleibt. Kommen bei der Zubereitung Zusätze oder Zutaten hinzu, dürfen auch die von Natur aus kein Gluten enthalten. Ein Beispiel: In Fleisch, Fisch oder Meeresfrüchte sowie Gemüse findet sich kein Gluten. In Öl und Butter ebenfalls nicht. Also können Fleisch, Fisch, Meeresfrüchte und Gemüse ohne Gefahr einer Glutenbelastung in Öl oder Butter gegart oder gebraten werden.

Ein Risiko besteht immer erst dann, wenn ein Lebensmittel verarbeitet, zubereitet oder angerichtet wird und es dabei – in welcher Form auch immer – mit etwas Glutenhaltigem in Kontakt kommt.

MERKE: *Mit jedem Würzen oder Aromatisieren, jeder Marinade oder Panade, jeder Soße und jedem Dressing oder jedem Verfeinern und Dekorieren kann aus einem sicheren Lebensmittel ohne Gluten ein unsicheres mit einem fraglichen Glutengehalt werden.*

Achtsamkeit ist insbesondere bei Feldfrüchten geboten – also bei allem, was vom Feld geerntet wird. Hier ist das Problem, dass es bei der Ernte, dem Transport oder Verpacken von an sich glutenfreien Keimlingen, Körnern oder Samen oft zu einem Fremdbesatz mit glutenhaltigen Getreiden kommt, der von den Anbietern der Endprodukte billigend in Kauf genommen wird. Vor allem bei sortenreinen Verpackungen von Hirse und Mais kommt das regelmäßig vor, ebenso oft – auch wenn nicht alle Feldfrüchte sind – bei Amarant, Buchweizen, Canihua und Quinoa, Sonnenblumenkernen und einigen Hülsenfrüchten sowie Produkten aus Getreidehalmen und -fasern.

Deshalb ist es nie verkehrt, vor der Verarbeitung eines solchen Produkts zu prüfen, ob sich nicht einzelne Körner eines glutenhaltigen Getreides in die Verpackung geschlichen haben. Das klingt nach aufwendiger Handarbeit, der Aufwand ist aber notwendig. Ich habe dabei schon mehr als nur ein einzelnes Weizenkorn gefunden.

Zu diesem einzelnen Weizenkorn sollte ich wissen, dass es laut der »*Analyse von Glutengehalten in Getreide und getreidehaltigen Produkten*« aus dem *Jahresbericht der Deutschen Forschungsanstalt* von Köhler und Andersen aus dem Jahr 2014 im Durchschnitt 4,1 Milligramm Gluten enthält. Bei zwei Körnern liegt der Glutengehalt bei über 8 Gramm, bei 1 Gramm Weizenkörner summiert er sich zu 77 Milligramm im Durchschnitt. 1 Gramm Dinkelkörner kommen auf 98,9 Milligramm, 1 Gramm Gersten- auf 56,2, 1 Gramm Hafer- auf 45,6 und 1 Gramm Roggenkörner auf durchschnittlich 31,2 Milligramm Gluten. Und das sind allesamt keine Mengen, die ich verzehren möchte.

Ein Fremdbesatz ist dabei nichts anderes als eine Kontamination, die beim Überschreiten des Schwellenwertes eigentlich mit einem *„Enthält …"* angegeben werden muss. Nun ja, eigentlich. Denn befindet sich in einer Packung mit 500 Gramm Kernen oder Samen nur ein Gramm glutenhaltiger Körner, lässt sich ein solcher Fremdbesatz meist nicht feststellen, da in die Probe zur Bestimmung des Glutengehalts nicht zwingend eines dieser Körner geraten muss. Deshalb wird bei diesen Produkten ersatzweise der Spurenhinweis verwendet – es gibt so gut wie keine Packung, auf der er nicht steht.

Gar nicht mehr zu entdecken sind etwaig mitgemahlene glutenhaltige Körner in den aus Feldfrüchten gemahlenen Produkten – in Mehl, Grieß oder Pulver. Hier ist für den Fall einer Glutenbelastung zumindest der Umstand von Vorteil, dass sich einzelne gemahlene glutenhaltige Körner besser vermischen.

Neben dem Fremdbesatz ist auch die Mühle eine Kontaminationsquelle, wenn in ihr ebenfalls glutenhaltige Getreide gemahlen und verarbeitet werden. Besonders hoch ist die Gefahr in Reformhäusern oder Hofläden, die das Mahlen als besonderen Service anbieten, aber nur eine Mühle haben. Zwischen zwei Mahlgängen gründlich reinigen lässt sich eine Mühle nicht und deshalb ist es ratsam, auf den Service des Mahlens tunlichst zu verzichten.

Bei jedem gemahlenen Produkt ist also Vorsicht geboten, wenn auf der Verpackung nicht vermerkt ist, dass in der verwendeten Mühle keine glutenhaltigen Getreide gemahlen werden.

Was für die Verpackungen mit Feldfrüchten gilt, gilt gleichermaßen für die Produkte, die aus einem solchen Mehl, Grieß oder Pulver hergestellt werden – wie zum Beispiel Buchweizenmehl, Couscous aus Hirse, Hirsemehl, Maisgrieß, Maismehl, Leinsamenmehl oder Reismehl. Steht bei diesen Lebensmitteln ein Spurenhinweis – dazu mehr im nächsten Kapitel – auf der Verpackung, sollte eine Kontamination mit einem glutenhaltigen Getreide grundsätzlich als gegeben erachtet werden.

Rein rechtlich gelten die Lebensmittel, die von Natur aus kein Gluten enthalten, übrigens als Lebensmittel ohne glutenhaltige Zutat, dürfen also bis zu 80 mg/kg Gluten enthalten.

Lebensmittel ohne glutenhaltige Zutat

Die Einschätzung eines Glutengehalts in einem Lebensmittel, das laut Zutatenverzeichnis keine glutenhaltige Zutat enthält, gestaltet sich etwas schwieriger. Die Produkte stehen beim *Einkaufen nach dem Zutatenverzeichnis* im Fokus, da sie scheinbar kein Gluten enthalten.

Dass die Produkte ohne aufgeführte glutenhaltige Zutat wirklich kein Gluten enthalten, ist allerdings nur eine Annahme. Bei allen Lebensmitteln ohne glutenhaltige Zutat ist – wie mehrfach angesprochen – das Risiko einer Kontamination gegeben. Wegen der fehlenden Kennzeichnungspflicht für die Kontaminationen bewegt sich der Glutengehalt in diesen Lebensmitteln zwischen 0 und 80 mg/kg. Genauere Angaben müssen seitens der Hersteller bekanntlich keine gemacht werden und da ich somit nicht ausschließen kann, dass die Lebensmittel 80 mg/kg Gluten enthalten, sind sie quasi nur unter Vorbehalt glutenfrei.

Dank der Berechnung aus dem Absichern der Glutenmengen kann ich dem nicht auszuschließenden Glutengehalt nun eine Verzehrmenge für die jeweils persönliche Toleranz zuordnen. Bei einer angestrebten Tagestoleranz von 5 Milligramm Gluten sind es 62,5 Gramm und bei einer Tagestoleranz von 10 Milligramm 125 Gramm, die ich sicher essen beziehungsweise trinken kann.

Tagesmenge	5 mg	10 mg	15 mg	20 mg	50 mg
Glutengehalt 80 mg/kg	⇵	⇵	⇵	⇵	⇵
Verzehrmenge	62,5 g	125 g	187 g	250 g	625 g

Doch als wie wahrscheinlich ist das Vorliegen einer Kontamination einzuschätzen? Und ist sie bei Erdnussflips aus Maisgrieß höher als bei einer Tafel Vollmilchschokolade? Um die Frage beantworten zu können, müssen vom Anliefern und Lagern der Zutaten bis zum Verpacken und Ausliefern eines Produkts sämtliche herstellungsbedingten Abläufe bekannt sein – und das sind sie nicht.

Will ich auf Nummer sicher gehen, muss ich folglich das Erreichen des Grenzwertes immer für möglich halten, da ich nicht sicher ausschließen kann, dass bei einer Verzehrmenge von 62,5 Gramm die tägliche Toleranzgrenze von 5 oder beim Verzehr von 125 Gramm die von 10 Milligramm Gluten erreicht wird.

Auf die Lebensmittel muss wegen des höheren Risikos natürlich in der glutenfreien Diät nicht verzichtet werden, denn jetzt kommt wieder die Verzehrmenge ins Spiel. Berechne ich die Mengen und Verhältnisse, ist pro 100 Gramm mit nicht mehr als 8 Milligramm Gluten zu rechnen.

Glutengehalt	÷ 1.000	x Verzehrmenge	= verzehrte Glutenmenge
80 mg/kg		100 Gramm	8,0 Milligramm Gluten
80 mg/kg		50 Gramm	4,0 Milligramm Gluten
80 mg/kg		25 Gramm	2,0 Milligramm Gluten

Entsprechend habe ich, wenn ich zum Beispiel ein Viertel einer 200-Gramm-Packung Erdnussflips esse – sprich 50 Gramm – oder ein Viertel einer 100-Gramm-Tafel Vollmilchschokolade, maximal 4 beziehungsweise 2 Milligramm Gluten auf meinem Gluten-Tageskonto stehen.

Der sichere Weg kann durch das Einholen weiterer Informationen bei den Herstellern zusätzlich abgesichert werden. Nur ein Hersteller kann bestätigen, dass es bei der Produktion nicht zu einer Kontamination gekommen ist. Dabei ist aber zu beachten, dass sich die Produktionsbedingungen jederzeit ändern können, etwa wenn ein Ablauf umgestellt oder eine Rezeptur geändert wird. Die jeweilige Information gilt also nicht für alle Ewigkeit.

Bin ich auf dem Mittelweg unterwegs – also dem Weg des Kompromisses in Punkto Sicherheit –, gehe ich nicht davon aus, dass jedes Lebensmittel maximal kontaminiert ist. Dabei dürfen ebenfalls die jederzeit möglichen Änderungen der Produktionsbedingungen nicht außer Acht gelassen werden. Zudem ist zu beachten, dass bei einer Fehleinschätzung die tägliche Toleranzmenge auf einmal erreicht und überschritten sein kann.

Die Verzehrmengen sind freilich größer und tendieren bei einem vermuteten Glutengehalt von Null sogar zu unendlichen Mengen. Zumindest in der Theorie. Es ist auch nicht ausgeschlossen, dass es Produkte ohne Glutengehalt gibt. Wie viele – und vor allem welche – das sind, lässt sich angesichts der heutigen Bedingungen bei Anbau, Transport, Lagerung und Verarbeitung aber unmöglich sagen.

• • • • •

Besonders wahrscheinlich ist das Vorliegen einer Kontamination – wie in den Kapiteln vorher gezeigt – bei den Produkten mit Zutaten aus einem glutenfreien Getreide oder Pseudogetreide unklarer Herkunft. Zu den klassischen Beispielen für diese Lebensmittel gehören Backwaren aller Art, Mehle und Mehlmischungen, Cerealien oder Cornflakes, Chips, Couscous, Erdnussflips sowie Maisprodukte, um nur einige zu nennen.

Fraglich ist, inwieweit mir der Spurenhinweis in Form eines »*Kann Spuren von … enthalten*« oder »*Kann … enthalten*« bei diesem Problem weiterhilft. Ihn habe ich bislang und vor allem in den Kapiteln über die Verordnungen und Kennzeichnungspflichten überhaupt nicht erwähnt. Allerdings habe ich den Spurenhinweis nicht unterschlagen oder vergessen, wie der Begriff *Kontamination* taucht auch er in der LMIDV und LMIV schlichtweg nicht auf. Das bedeutet, dass ein Hersteller einen Spurenhinweis für ein Lebensmittel geben kann, er muss es aber nicht. Einige Hersteller verwenden die Spurenhinweise außerdem in einer Überdeklaration – also auch ohne vorliegende Kontamination – quasi vorbeugend aus Gründen einer ominösen Produkthaftung.

Egal wie es sich verhält, beim Einkaufen kann ich den Grund für einen vorhandenen Spurenhinweis nicht kennen und bei dessen Fehlen eine Kontamination nicht erkennen. Um eine größtmögliche Sicherheit zu gewährleisten, muss ich daher eher vom Vorliegen einer Verunreinigung ausgehen, da ich sie nicht sicher ausschließen kann.

Fakt ist, dass ein Fehlen wie auch ein Vorhandensein eines Spurenhinweises mangels der einheitlichen und rechtsverbindlichen Vorschriften nichts am Status der Lebensmittel ohne aufgeführte glutenhaltige Zutat ändert.

Das gilt auch für die Produkte, bei denen ein Spurenhinweis für ein anderes Allergen – etwa Ei, Laktose, Nüsse oder Schalentiere – aber nicht die glutenhaltigen Getreide gegeben wird. Die Annahme, die Gefahr einer Kontamination sei für mich bei diesen Produkten nicht gegeben oder geringer, ist zwar nicht gänzlich von der Hand zu weisen, aber dennoch wieder nur eine Annahme.

Bei dieser unklaren Gesamtlage ist es aus meiner Sicht – und der jedes Betroffenen einer Lebensmittelallergie – erfreulich, dass erste Hersteller den Spurenhinweis eindeutig formulieren, zum Beispiel mit einem *„Dieses Produkt enthält Spuren glutenhaltiger Getreide"*. Kein Kann-sein oder Kann-nicht-sein, sondern eine eindeutige Aussage: In diesem Produkt steckt etwas Glutenhaltiges.

MERKE: *Lebensmittel ohne eine ausgewiesene glutenhaltige Zutat sind nur unter Vorbehalt glutenfrei.*

Noch ein Hinweis zum Einkaufen nach Zutatenverzeichnis: Dabei lauern zwei Fallen. Die eine ist die Routinefalle. Zu Beginn des glutenfreien Lebens wird beim Einkauf noch penibel jedes Zutatenverzeichnis gelesen und jedes Lebensmittel auf eine glutenhaltige Zutat geprüft. Dann schleicht sich Routine ein. Die Zutatenverzeichnisse werden nur noch überflogen und nach und nach immer mehr Produkte als sicher abgespeichert, bis sie schließlich ohne jede Prüfung in den Einkaufswagen wandern. Nur geht jede Routine mit einer Bequemlichkeit einher und die mit einer gefährlichen Nachlässigkeit. Wie erwähnt, können sich Rezepturen oder Produktionsbedingungen ändern. Und was bei zwanzig Einkäufen glutenfrei war, ist beim einundzwanzigsten Einkauf plötzlich glutenhaltig.

Auch bei den losen oder unverpackten Waren ist immer wieder aufs Neue nach einem möglichen Glutengehalt in einem Produkt zu fragen, selbst wenn ein Lebensmittel gefühlt zum hundertsten Mal gekauft wird. *„Wo soll da denn Gluten herkommen?"* Das ist ein klassischer Spruch eines genervten Verkaufspersonals, durch den ich mich keinesfalls von der Frage nach Gluten abhalten lassen darf. Wichtig ist zudem, nicht nur auf das Gluten im gewünschten Produkt zu achten, sondern ebenso auf mögliche Glutengehalte bei den Lebensmitteln, die – etwa in Frischetheken – gleich daneben liegen. Weitere

Quellen für Kontaminationen sind Ablageflächen, Schneidemaschinen und Messer, Waagen oder auch Handschuhe, Gabeln und Greifzangen zur Handhabung der Produkte. Und wie es in den hinteren Arbeitsräumen oder im Lager eines Geschäftes aussieht, weiß ich auch nicht. Es gibt also mehr als nur ein gutes Argument, beim ersten Anzeichen für ein Risiko ein Lebensmittel nicht als loses oder unverpacktes Produkt zu kaufen.

Die andere – die zweite – Falle ist eine Übersetzungsfalle, die in den Geschäften und Märkten lauert, die Lebensmittel aus einem Land außerhalb der EU anbieten. Deren Zutatenverzeichnisse sind bekanntlich für den Verkauf in die deutsche Sprache zu übersetzen. Schleicht sich dabei ein Fehler ein, enthält beispielsweise eine Würzsoße aus China laut übersetztem Zutatenverzeichnis keine glutenhaltige Zutat, nach dem Verzeichnis im chinesischen Original allerdings Weizen. Deshalb sollte bei importierten Lebensmitteln das Zutatenverzeichnis immer im Original gelesen oder – wenn die jeweils eigenen Sprachkenntnisse nicht ausreichen – ein Verkäufer um eine sehr genaue Prüfung gebeten werden.

Das Prüfen des Zutatenverzeichnisses ist also ein sicherer, aber nicht der sicherste Weg zum Entdecken und Meiden des Glutens in einem Produkt und deshalb kaufen einige Zöliakiebetroffene ihre Lebensmittel ausschließlich nach den Listen ihrer Zöliakiegesellschaft mit als glutenfrei gekennzeichneten und freigegebenen Produkten.

Glutenfreie Lebensmittel

Keine Gedanken um versteckte Kontaminationen oder falsch übersetzte Zutatenverzeichnisse oder einen sonst nicht zu entdeckenden Glutengehalt muss ich mir machen, wenn ich zu den Lebensmitteln mit dem Aufdruck *glutenfrei* greife oder denen mit einem Glutenfrei-Symbol auf der Verpackung, die dank der zusätzlichen Kontrollen der Zöliakiegesellschaften noch sicherer sind. Die als glutenfrei ausgewiesenen Lebensmittel erfüllen alle Vorgaben aus Codex und Verordnung, bieten mir bei der glutenfreien Diät eine größere Sicherheit und erlauben größere Verzehrmengen pro Tag.

Gänzlich risikofrei sind die glutenfreien Lebensmittel aber leider nicht, was insbesondere für die Produkte gilt, die eine glutenhaltige Zutat enthalten. Deshalb muss ich bei der Risikobewertung zwischen glutenfreien Produkten ohne glutenhaltige Zutat und mit glutenhaltiger Zutat unterscheiden.

Von den **glutenfrei**en Lebensmitteln **ohne glutenhaltige Zutat** kann ich dank der Absicherung durch den Grenzwert bei einer angestrebten Tagestoleranz von 5 Milligramm mindestens 250 Gramm und bei 10 Milligramm sogar 500 Gramm pro Tag verzehren, da pro 100 Gramm mit maximal 2 Milligramm Gluten zu rechnen ist.

Tagesmenge	5 mg	10 mg	15 mg	20 mg	50 mg
Glutengehalt 20 mg/kg	↓↑	↓↑	↓↑	↓↑	↓↑
Verzehrmenge	250 g	500 g	750 g	1.000 g	2.500 g

Zudem ist es relativ sicher, sich an eine höhere Verzehrmenge heranzutasten. Die Hersteller stellen oft ausschließlich glutenfreie Lebensmittel her oder diese in separaten Bereichen. Vor allem aber achten sie bei der kompletten Produktions- und Lieferkette regelmäßig auf einen lückenlosen Schutz vor Verunreinigungen. Informiere ich mich ein wenig über die Hersteller oder – was noch besser ist – direkt bei einem Hersteller, kann ich schnell herausfinden, ob ein Betrieb nur glutenfreie Produkte herstellt und bei den Betriebsabläufen Kontaminationen ausgeschlossen sind.

Allerdings darf ich nicht annehmen, die gemäß Codex glutenfreien Lebensmittel enthielten gar kein Gluten. Müsste der genaue Glutengehalt eines Produkts generell angegeben werden, wäre das Risiko geringer und ließe sich die verzehrte Glutenmenge genau ermitteln. Die vielen Konjunktive zeigen, dass dies Wunschdenken und in der Realität nicht regelmäßig der Fall ist.

Ebenfalls nur Wunschdenken ist die Annahme, die glutenfreien Lebensmittel mit Glutenfrei-Symbol würden stets die höchste Sicherheit bieten. Auch dem ist leider nicht so. Ich hatte schon festgestellt, dass das Symbol der durchgestrichenen Ähre ein von den Zöliakiegesellschaften geführtes geschütztes Warenzeichen ohne gesetzliche Regelung ist. Ein Lebensmittelhersteller darf es gegen eine jährliche Gebühr verwenden, wenn er für ein Produkt bei einer Zöliakiegesellschaft das Einhalten des Glutengrenzwertes gemäß Verordnung nachweist. Ob auch regelmäßig eigene Kontrollen der zertifizierten Lebensmittel durchgeführt werden, obliegt der jeweiligen Zöliakiegesellschaft selbst.

Ebenso wird das Glutenfrei-Symbol gern als Logo für eine besondere Qualität angepriesen, ist aber ein *Clean Label*. Im Deutschen ist das eine *saubere Kennzeichnung*, mit der bei glutenfreien Produkten die Regelung des Begriffs *glutenfrei* aus dem Lebensmittelrecht in ein Bildzeichen übertragen wird. Das Symbol hilft mir also beim Erkennen der glutenfreien Produkte gemäß Codex und Verordnung, mit einem Qualitätsmerkmal oder -standard hat das aber nichts zu tun.

Von den **glutenfrei**en Lebensmitteln **mit** ausgewiesener **glutenhaltiger Zutat** sind generell dieselben Verzehrmengen möglich, also pro Tag 250 beziehungsweise 500 Gramm. Das Problem ist die Tatsache, dass der Grenzwert bei diesen Produkten überhaupt nicht ausgeschöpft sein muss, um bei einem Betroffenen nach dem Verzehr eine zöliakiebedingte Reaktion auszulösen. Hierfür spielt nämlich nicht allein die Glutenmenge eine Rolle.

Ungeachtet einer allgemeinen Sensibilität lösen die glutenhaltigen Zutaten bereits bei deutlich niedrigeren Verzehrmengen bei einigen

Zöliakiebetroffenen eine Autoimmunreaktion nebst unerfreulichen Beschwerden aus. Für die Antwort auf die Frage nach dem Warum sollte ich über die glutenhaltigen Zutaten wissen, dass sie entweder rein mengenmäßig unter dem Grenzwert gehalten oder eigens hergestellt werden.

Glutenfreie Weizenstärke etwa wird gewonnen, indem aus dem Mehlkörper die Stärke ausgewaschen und von den wasserunlöslichen Glutenproteinen – das habe ich beim Ausflug in die Biochemie erklärt – getrennt wird. Das Verfahren ist beim Gerstenmalzextrakt ähnlich. Hier werden die schädlichen Glutenproteine ebenfalls abgeschöpft, können allerdings auch durch die Zugabe von Enzymen zerstört werden. Jedes Verfahren wird jeweils so lange oder so oft angewendet, bis die Voraussetzung für den Grenzwert des Glutengehalts gemäß Codex beziehungsweise Verordnung erfüllt ist.

Mit dem Erreichen gilt die glutenhaltige Zutat als glutenfrei – und das ungeachtet der Zusammensetzung und Struktur der restlichen enthaltenen Proteinpeptide. Wie viele der hochreaktiven Peptidsequenzen das Herstellungsverfahren überleben und entsprechend noch in den – jetzt als glutenfrei geltenden – Zutaten enthalten sind, ist unklar. Ebenso unklar ist, wie viele dieser Peptide oder welcher Kombinationen durch den Verzehr von verschiedenen Produkten es bedarf, um bei einem Zöliakiebetroffenen eine aggressive Autoimmunreaktion auszulösen. Fest steht mit den regelmäßig auftretenden Beschwerden nur, dass es für etliche Betroffene zu viele sind.

Und dann ist da noch der **glutenfreie Hafer**. Um ihn zu erhalten, werden dem Hafer keine Stoffe entzogen oder zugesetzt. Auch wird er nicht eigens hergestellt, sondern lediglich außerhalb der Reichweite anderer glutenhaltiger Getreide angebaut. Wie bekannt darf er maximal 20 mg/kg Gluten von Gerste, Roggen oder Weizen, aber beliebig viel Avenin enthalten.

Erwähnt hatte ich schon, dass sein Verzehr nicht bei allen Zöliakie-betroffenen zu Beschwerden führt. Deshalb wird schon seit Jahren über das Zöliakiepotential des Hafers diskutiert und dabei auch die Ansicht vertreten, das Avenin habe keins oder aber die Bildung von Antikörpern nach dem Verzehr glutenfreien Hafers müsse nicht zu Entzündungsprozessen im Dünndarm führen.

Diese Ansichten und Positionen sind äußerst fraglich. Werden alle für die Fragestellung vorliegenden Studien berücksichtigt – wie im bereits erwähnten Beitrag »*The Gluten-Free Diet: Testing Alternative Cereals Tolerated by Celiac Patients*« im Fachjournal *Nutrients* –, lässt sich das Schädigungspotential des Prolamins Avenin im Hafer nicht ernsthaft bestreiten.

> *„[...] Studien haben die Toxizität von Hafer bei bestimmten Patientengruppen mit Zöliakie bestätigt. [...] Avenin kann bei diesen Patienten eine immunologische Antwort auslösen, die der durch das Gluten von Weizen, Roggen oder Gerste hervorgerufenen Reaktion ähnelt."*

Ebenso wird auf der Webseite der neuseeländischen Zöliakiegesellschaft *Coeliac New Zealand* im Zusammenhang mit Forschungen zum glutenfreien Hafer erklärt, dass der als glutenfrei bezeichnete Hafer nie gänzlich glutenfrei ist.

> *„Avenin ist ein wesentlicher Haferbestandteil und wird nie gänzlich glutenfrei sein, auch wenn er als glutenfrei bezeichnet wird."*

Problematisch ist zudem, dass beim Hafer in anderen Studien weitere Risikofaktoren entdeckt wurden. So weisen verschiedene Hafersorten Unterschiede beim Aufbau der Proteine und dadurch bei ihrer schädlichen Wirkung auf, wie der Artikel »*Identification and molecular characterization of oat peptides implicated on coeliac immune response*« von Isabel Comino [et al.] in der Ausgabe 60/2016 des Fachmagazins *Food & Nutrition Research* und in der Fachzeitschrift *Scientific Reports* von 2017 die Studie »*Characterization of celiac disease related oat proteins* ⇆ *Charakterisierung von Haferproteinen im Zusammenhang mit Zöliakie*« von María José Giménez [et al.] zeigen. Das heißt für mich, dass wenn ich ein Produkt mit der Hafersorte A vertrage, das nicht auch für ein Produkt mit Sorte B gelten muss.

Dass nicht bei allen Betroffenen nach dem Verzehr von Haferprodukten Beschwerden auftreten, wird in der Regel positiv dargestellt. Es heißt, der Hafer werde von *der Mehrzahl der Betroffenen* vertragen oder *nur eine kleine Zahl Betroffener* reagiere auf den Hafer. Leider wird zu solchen Äußerungen nie dazu gesagt oder geschrieben, wie groß oder klein die *kleine Zahl der Betroffenen* ist.

Sind 20 Prozent viel oder wenig? Es ist zumindest die Größenordnung, die für die *kleine Zahl von Betroffenen* steht. So wird auf der Webseite der Zöliakiegesellschaft *Coeliac New Zealand* ausgeführt, dass dank der Forschung des *Walter and Eliza Hall Institute of Medical Research* davon auszugehen ist, dass etwa jeder fünfte Zöliakiebetroffene keinen kontaminationsfreien Hafer verträgt.

> *„Forschungen unter unserem Schirmherrn Dr. Robert Anderson haben ergeben, dass etwa jeder fünfte Zöliakiekranke auf reinen, unkontaminierten Hafer reagiert."*

Wie zu sehen, bleiben derzeit viele Fragen offen und werden viele Sachverhalte verschieden bewertet, was letztlich zu unterschiedlichen Schlussfolgerungen führt – und zu unterschiedlichen Empfehlungen der Zöliakiegesellschaften. Derzeit gibt es vier voneinander abweichende Positionen: Die einen Zöliakiegesellschaften halten den Verzehr des glutenfreien Hafers *für die meisten Betroffenen* für sicher. Andere halten den Verzehr für möglich, raten aber zu einer Begrenzung der Menge pro Tag, während dritte Gesellschaften eine kontrollierte Einführung nur unter ärztlicher Betreuung empfehlen. Zu guter Letzt wird von einem Verzehr abgeraten, solange die Sachlage zu dem als glutenfrei bezeichneten Hafer nicht eindeutig geklärt ist, wie es unter anderem die australische und die neuseeländische Zöliakiegesellschaft empfehlen.

> *„Da wir nicht sagen können, wer der Eine von Fünf ist, der auf reinen Hafer reagiert, und wissen, dass Darmschädigungen auch symptomfrei auftreten können, raten Dr. Anderson und Celiac New Zealand vom Verzehr ab."*

Und dass in Australien und Neuseeland ein als glutenfrei ausgewiesenes Lebensmittel per Gesetz keinen Hafer enthalten darf, hatte ich bereits erwähnt.

> *„Gemäß den Richtlinien des Australia New Zealand Food Standards Code sind Hafer und Haferprodukte nicht in Lebensmitteln erlaubt, die als glutenfrei gekennzeichnet sind."*

Bei meiner Risikobewertung steht die Glutenfrei-Ampel für den als glutenfrei bezeichneten Hafer erst einmal auf Rot, da ich nicht weiß, ob ich ihn sicher essen kann. Da mir aber das Risiko nunmehr bekannt ist – ich weiß ja jetzt, dass 20 Prozent der Zöliakiebetroffenen den Hafer nicht vertragen –, schaltet die Glutenfrei-Ampel auf ein warnend blinkendes Gelblicht, wenn ich den Hafer unter Inkaufnahme des Risikos in meine glutenfreie Diät aufnehmen möchte.

MERKE: *Ein Lebensmittel aus und mit glutenfreiem Hafer darf beliebig viel des Prolamins Avenin enthalten, was nicht von jedem Zöliakiebetroffenen vertragen wird.*

• • • • •

Alles in allem ist festzuhalten, dass bei den glutenfreien Lebensmitteln mit glutenhaltiger Zutat das bei den Produkten ohne glutenhaltige Zutat vorhandene Sicherheitsniveau deutlich sinkt – und das

Risiko steigt. Ob ich überhaupt zur Gruppe derjenigen gehöre, die diese Produkte generell vertrage, muss ich entsprechend vorsichtig ausprobieren.

Wie gesehen, gibt es etliche Produkte, die gemäß Codex glutenfrei sind und mich dennoch mit jedem Bissen und jedem Schluck ein Stück näher an meinen kritischen Glutenbereich bringen. Egal was ich davon halte: Es ist und bleibt eine Tatsache, dass die nach Codex und Verordnung glutenfreien Lebensmittel eine glutenhaltige Zutat enthalten dürfen. Brot, Brötchen, Chips und Knabberzeug, Kekse und Kuchen, Pizza oder Sojasoße sind nur einige der Produkte, in denen häufig glutenhaltige Zutaten enthalten sind. Glutenfreie Biere und gebraute Limonaden enthalten sie fast immer und bergen in der Tagessumme das höchste Risiko. Nicht wegen der Glutenmenge pro Glas oder Flasche, sondern weil generell mehr getrunken wird.

Es mag paradox klingen, aber selbst wenn ich an einem Tag keine anderen als glutenfreie Lebensmittel gemäß Codex esse und trinke, kann ich dennoch meinen kritischen Toleranzbereich erreichen. Eine tägliche Verzehrmenge von mindestens 250 beziehungsweise 500 Gramm klingt erst einmal nach viel, liegt aber im Bereich des Erreich- und vor allem des Überschreitbaren.

MERKE: *Ein als glutenfrei ausgewiesenes Lebensmittel darf – ob als Zutat oder durch eine Kontamination – höchstens 20 mg/kg Gluten enthalten, aber auch Zutaten aus glutenhaltigen Getreiden.*

Lebensmittel mit einem sehr geringen Glutengehalt

Die Lebensmittel mit einem sehr geringen Glutengehalt – für wen sie gedacht sind, ist mir ehrlich gesagt nicht genau klar – bieten mir als Zöliakiebetroffenem eine eher geringe Sicherheit mit rechnerisch sicheren Verzehrmengen von bis zu 50 oder auch 100 Gramm täglich.

Vom Verzehr größerer Mengen ist abzuraten. Obgleich der Grenzwert auch bei diesen Produkten nicht ausgeschöpft sein muss, ist bei einer Verzehrmenge von lediglich 100 Gramm ein erreichter Glutengehalt von 10 Milligramm nicht auszuschließen.

Tagesmenge	5 mg	10 mg	15 mg	20 mg	50 mg
Glutengehalt 100 mg/kg	↓↑	↓↑	↓↑	↓↑	↓↑
Verzehrmenge	*50 g*	*100 g*	*150 g*	*200 g*	*500 g*

Vielleicht sollte ich diese Lebensmittel aber doch besser komplett meiden, da schon mit dem Verzehr einer kleinen Menge meine gesamte Tagestoleranz aufgebraucht sein kann. Außerdem multipliziert sich das Risiko einer unnötig hohen Glutenbelastung in allen Bereichen um den Faktor 5. So können diese Lebensmittel durchaus auch fünfmal so viele schädliche Peptide enthalten.

Lebensmittel speziell formuliert

Mit den Hinweisen *„Speziell formuliert für Menschen mit Zöliakie"*, *„Speziell formuliert für Menschen mit Glutenunverträglichkeit"* sowie *„Geeignet für Menschen mit Zöliakie"* und *„Geeignet für Menschen mit Glutenunverträglichkeit"* sollen Zöliakiebetroffene laut Verordnung über das Nichtvorhandensein oder reduzierte Vorhandensein von Gluten in einem Lebensmittel informiert werden.

So richtig hilfreich sind diese zusätzlichen Hinweise auf den Verpackungen der Lebensmittel allerdings nicht. Im Gegenteil, letztlich irritieren sie mehr, als sie nützlich sind.

Der Grundgedanke ist nicht verkehrt, enthält nur leider eine Ungenauigkeit, da in der Durchführungsverordnung das *reduzierte Vorhandensein von Gluten* dem *Nichtvorhandensein von Gluten* gleichgesetzt wird. Nur wird hier etwas gleichgesetzt, was nicht gleich ist und so dürfen auch die Lebensmittel mit einem *sehr geringen Gluten-gehalt* als *geeignet für Menschen mit Zöliakie* oder *speziell formuliert für Menschen mit Zöliakie* ausgewiesen werden, obwohl sie es – wie gerade gezeigt – nicht uneingeschränkt sind.

Lebensmittel mit anderen Glutenfrei-Zertifizierungen

Sehe ich in einem Online-Shop oder bei mir vor Ort in einem Geschäft ein Lebensmittel, das als glutenfrei mit oder gemäß den niedrigeren Grenzwerten der eben erwähnten Zertifizierungs- oder Zöliakiegesellschaften ausgewiesen ist, greife ich getrost zu und plane größere Verzehrmengen ein. Je nach Zertifizierung mache ich mir auch gar keine Gedanken um eine Verzehrmenge.

Bei einem angesetzten Glutengehalt von 10 mg/kg Gluten kann auf eine Verzehrmenge von 100 Gramm nicht mehr als 1 Milligramm Gluten kommen. Entsprechend kann ich mindestens 500 Gramm von diesen Produkten essen und bleibe dennoch im sicheren Toleranzbereich von 5 Gramm Gluten pro Tag. Um eine kritische Glutenmenge zu erreichen, müsste ich fünf Kilogramm essen.

Mit dem Halbieren des möglichen Glutengehalts in den Lebensmitteln verdoppelt sich also meine Sicherheit und sie verdoppelt sich erneut, wenn der erlaubte Glutengehalt bei 5 mg/kg liegt. Dann enthalten 100 Gramm maximal 0,5 Milligramm Gluten und steigt die täglich mögliche Verzehrmenge auf 1.000 Gramm.

Tagesmenge	5 mg	10 mg	15 mg	20 mg	50 mg
Glutengehalt 10 mg/kg	↓↑	↓↑	↓↑	↓↑	↓↑
Verzehrmenge	*500 g*	*1.000 g*	*1.500 g*	*2.000 g*	*5.000 g*
Glutengehalt 5 mg/kg	↓↑	↓↑	↓↑	↓↑	↓↑
Verzehrmenge	*1.000 g*	*2.000 g*	*3.000 g*	*4.000 g*	*10.000 g*

Wird der Grenzwert sogar dem nachweisbaren Gluten gleichgesetzt, spielt der Glutengehalt in den Lebensmitteln nur noch eine rein theoretische Rolle. Bei diesen Produkten bewegen sich die möglichen Verzehrmengen in einer Größenordnung, die im Normalfall innerhalb eines Tages nicht konsumiert wird.

Tagesmenge	5 mg	10 mg	15 mg	20 mg	50 mg
Glutengehalt 3 mg/kg	↓↑	↓↑	↓↑	↓↑	↓↑
Verzehrmenge	*1.500 g*	*3.334 g*	*4.500 g*	*6.000 g*	*15.000 g*

Getränke

Im EU-weiten und nationalen Lebensmittelrecht wird im Prinzip nicht unterschieden, ob ein Lebensmittel gegessen oder getrunken wird. Demzufolge gelten dieselben Grenzwerte, Regelungen und Vorsichtsmaßnahmen. Eine Ausnahme sind alkoholische Getränke, zu ihnen findet sich – wie schon erwähnt – in den Verordnungen zur Kennzeichnungspflicht die eine oder andere Besonderheit. Zudem gibt es auch bei den Getränken welche mit glutenhaltiger Zutat.

Bei **Wein und Weinmischgetränken** oder auf Wein basierenden Getränken ist die Risikobewertung einfach. Vom Einmaischen über das Gären und Keltern bis zur Reifung kommen Rot-, Rosé- oder Weißweine bei der Herstellung nicht mit glutenhaltigen Getreiden in Berührung. Gleiches gilt für Champagner, Sekt oder Prosecco sowie alle anderen Schaum- oder Perlweine und sonstigen Prickelwässer.

Ähnlich einfach ist die Risikobewertung bei den **Spirituosen** – den Getränken mit einem Alkoholgehalt von 15 oder mehr Volumenprozent. Bei Korn, Schnaps, Whiskey oder Wodka wird zwar wegen der Getreidebasis ein Glutengehalt vermutet, allerdings werden bei

117

der Destillation die flüssigen Stoffe durch Verdampfen und Wieder-
verflüssigung gereinigt und von anderen Stoffen getrennt und bei
diesem Prozess die schädlichen Glutenanteile zerstört.

Aus dem Kapitel über die Kennzeichnungspflicht weiß ich, dass
die Zutaten nicht mehr kennzeichnungspflichtig sind und auf den
Flaschen oder Dosen auch kein Zutatenverzeichnis stehen muss.
Wird der Spirituose nach dem Destillieren eine glutenhaltige Zutat
hinzugefügt – etwa ein Malz für eine besondere Färbung oder einen
besonderen Geschmack –, muss diese angegeben werden.

Beim **Bier** gestaltet sich die Risikobewertung etwas schwieriger.
Bier wird nicht destilliert, es wird gebraut. Hopfen, Malz, Wasser
und Hefe: Das sind die vier Zutaten, die ein Bier gemäß deutschem
Reinheitsgebot enthalten darf. Der Hopfen ist immer glutenfrei, aus
meiner Sicht ist das Malz das Problem, da es aus Gerste gewonnen
wird. Das ist auch beim Malz für Biermischgetränke, Fassbrausen
und andere Malzgetränke sowie einige gebraute Limonaden so. Und
natürlich bei den Bieren, die nicht nach dem deutschen Reinheitsgebot gebraut sind. In Weizenbiere wird zudem noch ein Malz aus
Weizen gegeben. Alle diese Getränke sind folglich glutenhaltig.

Es gibt aber Biere und mit Malz gebraute Getränke, auf denen das
Wort *glutenfrei* steht und sich meist ein Glutenfrei-Symbol befindet,
was die Risikobewertung scheinbar vereinfacht: Sie sind glutenfrei.

So entspricht es wieder den Verordnungen – aber nicht meiner
Risikobewertung. Bei der sieht die Einteilung etwas anders aus: Frei
von Gluten sind nur die Getränke, die nicht mit Malz aus Gerste
gebraut werden, wie die Biere auf Buchweizen-, Hirse-, Mais-, Reis-
oder Sojabasis. Die Frage, ob ein solches Getränk dann noch ein Bier
ist, überlasse ich den Bierexperten.

Die als glutenfrei ausgewiesenen Biere und anderen Getränke mit
Malz auf Gerstenbasis sind nicht frei von Gluten. Der Glutengehalt

kann allein durch das Brauverfahren unter dem Grenzwert gehalten werden, meist werden aber Enzyme hinzugegeben, die die Protein-komplexe des Glutens aufspalten. Bei den Verfahren verbleibt aber ein Teil des Glutens im Getränk und deshalb kann nicht ausge-schlossen werden, dass die verbliebenen Glutenpeptide nicht doch eine aggressive Reaktion des Immunsystems auslösen.

Besondere Vorsicht ist bei glutenfreien Weizenbieren geboten. Sie enthalten das Gluten von Gerste und Weizen, was die Gruppe, auf die der Hinweis *»verträglich für die meisten Betroffenen«* zutrifft, noch mehr schrumpfen lässt.

Für mich bedeutet das, dass ich vorsichtig ausprobieren muss, ob ich die glutenfreien Biere und Getränke vertrage. Es bedeutet aber auf jeden Fall, dass ich mich mit jedem Schluck meiner kritischen Toleranzgrenze nähere.

Nun berichten einige Zöliakiebetroffene, es passiere nichts, wenn sie ein helles *normales Bier* trinken. Wie kann das sein?

Bei jedem natürlichen Brauverfahren werden die Glutenproteine durch Schwerkraft, Hitze, Kälte, viel Zeit und das abschließende Filtern reduziert, da – wie bekannt – die Glutenfraktionen in Wasser nicht löslich sind. Also sinkt mit jedem Filtern der Glutengehalt und so gibt es in der Tat *normale* Biere, die nur wenig Gluten enthalten.

Auch in der schon angesprochenen *»Analyse von Glutengehalten in Getreide und getreidehaltigen Produkten«* wurden Biere untersucht. In der Analyse wird für ein helles Vollbier der Mittelwert des Gluten-gehalts mit 27 und für ein Pilsener Lagerbier mit 12 mg/kg ange-geben. Das Pils wäre also glutenfrei. Bleibe ich bei den Mittelwerten und setze ein Kilogramm einem Liter gleich, enthält ein 0,3-Liter-Glas 3,6 Milligramm und eine 0,5-Liter-Flasche 6 Milligramm Gluten.

Jetzt erwartet hoffentlich niemand, dass die Glutenfrei-Ampel bei dieser Risikobewertung auf Grün schaltet. Das Rechnen mit einem

Mittelwert gehört – wieder – in die Kategorie Wunschdenken und deshalb steht die Glutenfrei-Ampel für das Pils auf Rot. Das hat seinen Grund, denn in den Ausführungen zur Analyse der Glutengehalte steht auch, dass die Ergebnisse der Proben nicht regelmäßig verteilt sind und die Schwankungsbreite bis auf 20 Milligramm hoch geht. Dann finden sich in einem 0,3-Liter-Glas allerdings schon 6 und in der 0,5-Liter-Flasche 10 Milligramm Gluten.

Glutengehalt ÷ 1.000	x Verzehrmenge	= verzehrte Glutenmenge
12 mg/kg	0,3 Liter	3,6 Milligramm Gluten
12 mg/kg	0,5 Liter	6,0 Milligramm Gluten
20 mg/kg	0,3 Liter	6,0 Milligramm Gluten
20 mg/kg	0,5 Liter	10,0 Milligramm Gluten

Den Zahlen nach ist es also möglich, ein Glas oder – je nach persönlicher Risikobereitschaft – auch mehrere Gläser Pils zu trinken. Die Glutenfrei-Ampel bleibt dennoch auf Rot, da ich viel zu viele Dinge nicht weiß. Ich weiß nicht, ob der Glutengehalt in jedem Pils unter dem Grenzwert liegt. Ich weiß noch nicht einmal, ob der Glutengehalt regelmäßig kontrolliert wird. Hierzu ist die Brauerei schließlich nicht verpflichtet.

Zu guter Letzt darf ich nicht vergessen, dass mit dem Trinken der zwei oder drei Gläser normalen Biers die Reserve meiner täglichen Toleranz auf einen Schlag aufgebraucht sein kann. Da ich im Laufe des Tages aber auch andere Dinge esse und trinke, begebe ich mich mit Blick auf die Tagesverzehrmengen stets auf einen riskanten Weg.

Auch von einem **glutenfreien Getreidekaffee** sollte ich rein vorsichtshalber nicht allzu viele Tassen trinken. Genau genommen haben die Getreidekaffee genannten löslichen getrockneten Extrakte nichts mit Kaffee zu tun, da sie weder aus Kaffeebohnen hergestellt werden, noch bei der Herstellung echter Kaffee zugegeben wird.

Stattdessen sind verschiedene Getreide die Grundzutaten – meist Dinkel, Gerste oder Roggen –, die gemälzt und geröstet und anschließend zu einem Extrakt aufgebrüht und gefiltert werden. Auch hierbei wird der Umstand genutzt, dass Glutenfraktionen wasserunlöslich sind und sich aus dem Extrakt herausfiltern lassen.

Gefiltert wird wieder so oft, bis der Grenzwert für Gluten unterschritten ist und der Getreidekaffee als glutenfrei deklariert werden darf. Sämtliche Glutenproteine werden allerdings auch bei diesem Herstellungsverfahren nicht eliminiert.

Glutenfrei auch ohne Hinweis?

Bei einigen Produkten verzichten die Hersteller auf die Glutenfrei-Kennzeichnung, versichern aber – etwa auf Internetangeboten –, die Produkte seien glutenfrei. Hier gilt besondere Vorsicht bei den Produkten, auf deren Verpackungen von Herstellern selbstkreierte Zeichen und Symbole oder – wie ausgeführt nur bedingt erlaubte – freie Formulierungen wie *„ohne Gluten"* oder *„aus nicht glutenhaltigen Rohstoffen hergestellt"* stehen.

Das Problem ist wieder, dass die so gekennzeichneten Produkte nicht die für die glutenfreien Lebensmittel festgelegten Vorgaben aus dem Lebensmittelrecht erfüllen müssen, da die Kennzeichnungen keinerlei gesetzlich verbindliche Aussagekraft haben. Der Grenzwert muss also nicht eingehalten werden, schließlich sind die Produkte rechtlich gesehen nicht als glutenfrei ausgewiesen.

Daran ändert sich auch nichts, wenn der Hersteller das Produkt einer Zöliakiegesellschaft als glutenfrei meldet. Das erhöht vielleicht die Sicherheit, der Nachweis alleine gegenüber einer Zöliakiegesellschaft erfüllt aber ebenso wenig die lebensmittelrechtlichen Vorgaben. Außerdem erfahre ich in der Regel nur dann etwas von dieser Meldung, wenn ich Mitglied bei der Gesellschaft bin.

Weizenfreie Lebensmittel

Auf einer Lebensmittelverpackung kann und darf auch der Hinweis *weizenfrei* stehen. Das erwähne ich, weil diese Kennzeichnung leicht mit einem *glutenfrei* verwechselt werden kann. Wie erwähnt, muss ein weizenfreies Produkt aber keineswegs glutenfrei sein. Die rein weizenfreien Produkte sind auch nicht für mich, sondern speziell für Weizenallergiker gedacht.

Bei einigen Produkten finden sich beide Hinweise – also *glutenfrei* und *weizenfrei* – auf der Verpackung. Da Backwaren zum Beispiel des Öfteren mit glutenfreier Weizenstärke hergestellt werden, kann ich so auf einen Blick erkennen, dass ein Produkt eben keine glutenfreie Weizenstärke enthält.

MERKE: *Ein weizenfreies Produkt muss kein glutenfreies sein.*

Lebensmittel oder kein Lebensmittel?

Zu guter Letzt ist bei einigen Produkten nicht offensichtlich, dass es sich um Lebensmittel handelt. Die Frage der rechtlichen Bewertung ist mir eher egal, mir geht es nur um die glutenhaltigen Zutaten in diesen Produkten. Einige Beispiele.

Seit dem Verbot von Einwegplastikprodukten wird immer mehr **essbares Besteck** und **Geschirr** angeboten. Doch scheinbar sind sich einige der Hersteller nicht im Klaren darüber, dass sie Lebensmittel anbieten, da sie auf den Verpackungen keine Zutaten angeben. Essbares Besteck und Geschirr fällt aber unter die Lebensmittel und das fehlende Zutatenverzeichnis ist für mich ein Problem, da viele dieser Messer, Gabeln, Löffel, Umrührer, Essstäbchen oder Teller, Tassen, Becher und Trinkhalme aus Wasser und Weizenmehl bestehen.

Aus Wasser und Weizenmehl werden auch die **Hostien** und **Oblaten** hergestellt, die an die Besucher christlicher Gottesdienste ausgegeben werden. Es gibt glutenfreie, die bei den Protestanten auch akzeptiert werden, von den Katholiken dagegen oft nur dann, wenn die Hostien mindestens glutenfreie Weizenstärke enthalten, da eine Hostie ohne Weizenanteil als ungültige Materie gilt. Und nein, das ist kein Scherz.

Nahrungsergänzungsmittel werden gern für Arzneimittel gehalten, sind aber gemäß der *Richtlinie 2002/46/EG* und der *Verordnung über Nahrungsergänzungsmittel* eindeutig als Lebensmittel definiert. Entsprechend muss auf ihren Verpackungen ein Zutatenverzeichnis stehen und müssen glutenhaltige Zutaten gekennzeichnet werden.

„Für ein Nahrungsergänzungsmittel ist die Bezeichnung ,Nahrungsergänzungsmittel' Bezeichnung des Lebensmittels nach der Verordnung [...]"

Die Glutenfrei-Ampel für Produkte, die keine Lebensmittel sind

Bislang war stets von Lebensmitteln die Rede. Es gibt allerdings auch Produkte und Substanzen, die ich weniger verzehre, als vielmehr einnehme oder freiwillig schlucke oder aber ungewollt verschlucken kann und leider sind auch die – warum sonst sollte ich es erwähnen – hier und da glutenhaltig. Da diese Produkte und Substanzen keine Lebensmittel sind, fallen sie nicht unter das Lebensmittelrecht und ebenso nicht unter die Kennzeichnungspflicht.

Arzneimittel und Medikamente

Zu den einzunehmenden Produkten gehören je nach Stand meiner Gesundheit die rezeptfreien und rezeptpflichtigen Arzneimittel und Medikamente in Form von Tabletten, Kapseln, Tropfen, Pulvern oder sonstigen Präparaten. Sie enthalten keine Zutaten, dafür Wirkstoffe, Bestandteile und pharmazeutische Hilfsstoffe. Letztere sorgen für die Herstellbarkeit, Formgebung oder Stabilität und ein Stoff, der das besonders gut kann, ist die Weizenstärke.

Eine Kennzeichnungspflicht für allergene Hilfsstoffe gibt es indes nicht, in der LMIV und LMIDV finden sich nicht die Begriffe *Arzneimittel* oder *Medikament* und in den Arzneimittelverordnungen nicht die Begriffe *glutenhaltige Getreide* oder *Gluten*.

Allerdings sind laut Arzneimittelgesetz alle *„Wirkstoffe und sonstigen Bestandteile"*, die ein Präparat enthält, in dessen Packungsbeilage – der Gebrauchsinformation – aufzuführen. Die kann vom Arzt oder Apotheker eingesehen und so über den kleinen Umweg der Nachfrage für mich ein Glutenanteil in einem Arzneimittel oder Medikament entdeckt werden.

Zu denken, eine Tablette sei so klein, dass sie kaum genug schädliches Gluten enthalte, ist angesichts einer beschwerdeauslösenden Menge von gut 0,01 Gramm dagegen eher wieder Wunschdenken. Verschreibt der Arzt ein bestimmtes glutenfreies Präparat, sollte auf dem Rezept das Feld »aut-idem« für »oder das Gleiche« angekreuzt werden, damit sich die Bedeutung in »nec-aut-idem« – das bedeutet so viel wie »kein Ersatz« – wandelt und in der Apotheke nur dieses und kein anderes zwar wirkungsgleiches, aber vielleicht auch glutenhaltige Produkt ausgegeben wird.

Gibt es für einen verschriebenen Wirkstoff kein glutenfreies Präparat, ist es keine gute Idee, dieses nicht nehmen zu wollen. Der Arzt wird das Problem der Nebenwirkung bestimmt bedacht haben. Zudem geht die medizinisch notwendige Behandlung natürlich vor, da ein möglicher Glutenunfall, so unangenehm er auch sein mag, bei einer schweren Erkrankung wohl eher das kleinere Übel ist.

Pflege-, Hygiene- oder Kosmetikartikel

Produkte wie Pflege-, Hygiene- oder Kosmetikartikel sollten freilich nicht verschluckt werden, was aber durchaus vorkommen kann. Mich interessiert bei diesem Problem wieder nur die Frage nach dem Verschlucken enthaltener glutenhaltiger Bestandteile und Inhaltsstoffe. In diesem Sinn riskante Produkte sind Zahnpasta und Zahncremes, Mundspülungen, Lippenstifte und -balsame sowie sonstige Cremes und Lotionen, aber auch Dusch- und Haarwaschmittel oder Badezusätze.

Zwar sind alle Inhaltsstoffe – ob mit Gluten oder ohne – gemäß der *Verordnung (EG) 1223/2009 über kosmetische Mittel* auf der Verpackung aufzuführen, die glutenhaltigen müssen aber nicht eigens gekennzeichnet werden. Da zudem für die Bestandteile und Inhaltsstoffe meist die Bezeichnungen der *Internationalen Nomenklatur kos-*

metischer Inhaltsstoffe verwendet wird, führt ein Weg der Risikominimierung über die Nachfrage beim Verkaufspersonal, der deutlich sicherere Weg über die Nachfrage direkt beim Hersteller. Man kann sich auch an die Zöliakiegesellschaften wenden, sie führen in der Regel für ihre Mitglieder Verzeichnisse mit glutenfreien Kosmetik-, Pflege- und Hygieneartikeln.

Dass ein Mittel – zum Beispiel eine Creme – auf die Haut aufgetragen wird und dadurch in die Blutbahnen und über diese in den Dünndarm gelangt, ist zwar des Öfteren zu hören und zu lesen, aber nicht medizinisch dokumentiert.

Bastel-, Mal- und Spielsachen

Auch Bastel-, Mal- und Spielsachen sind ungeachtet von Glutenanteilen nicht dazu da, gegessen oder verschluckt zu werden. Allerdings nehmen Kinder bekanntermaßen gerne alle möglichen Sachen in den Mund – und wer kann schon einem lecker aussehenden Knetgummikuchen widerstehen? Entsprechend ist die Annahme – meist die der Eltern, aber zum Beispiel auch der Erzieher einer Kindertagesstätte –, die Bastel- und Spielsachen werden keinesfalls im Mund eines Kindes landen oder keinesfalls verschluckt, sehr optimistisch, aber wenig realistisch.

Nun ist es nicht unbedingt zu erwarten, aber in Wachsmal- und Buntstiften, Kreiden, Fingerfarben oder auch Spielknete – besser bekannt als Knetgummi – können sich durchaus glutenhaltige Bestandteile finden. Zwar fallen sämtliche Bastel-, Mal- und Spielsachen unter anderem unter Produktsicherheitsvorschriften wie beispielsweise die »*Verordnung über die Sicherheit von Spielzeug*« und in deren Paragraf 10 wird auch gefordert, dass Spielzeuge mit einem Warnhinweis zu versehen sind, wenn *„unter Berücksichtigung des Verhaltens von Kindern die Sicherheit oder Gesundheit"* gefährdet ist, ob aber ein Hersteller einen glutenhaltigen Inhaltsstoff als Gefahr einschätzt, lässt sich nicht mit Bestimmtheit sagen. Immerhin findet sich auf einigen Verpackungen ein Hinweis auf einen Gluten- oder Weizenanteil beziehungsweise die Glutenfreiheit des Produkts.

Ohne Hinweis auf der Verpackung führt der einzig sichere Weg, einen Glutenanteil zu entdecken, erneut nur über die Nachfrage bei den Verkäufern, direkt bei den jeweiligen Herstellern oder auch den Zöliakiegesellschaften.

• • • • •

Ein kleiner Nachtrag: Gluten in Substanzen und Produkten aufzuspüren, die nicht zu den Lebensmitteln zählen, ist für mich ohne die Unterstützung anderer Personen nur in den wenigsten Fällen möglich. Dabei ist vielen Herstellern klar, dass die für die Konsumenten nicht feststellbaren glutenhaltigen Substanzen in ihren Produkten problematisch sein können.

Aus meiner Sicht erfreulicherweise geben viele Hersteller deshalb auch ohne Kennzeichnungspflicht direkt am Produkt oder über ihre Internetangebote eine Information zu einem Glutengehalt.

Einige reichen die Produktinformationen zudem an die Zöliakiegesellschaften weiter, die diese prüfen und in Verzeichnissen mit glutenfreien Arzneimitteln und Medikamenten, Pflege-, Kosmetik- und Hygieneartikeln oder Mal-, Bastel- und Spielsachen zusammenfassen. Ich hatte schon erwähnt, dass die Verzeichnisse in der Regel aber den Mitgliedern vorbehalten sind.

MERKE: *Nicht nur Lebensmittel enthalten Gluten.*

Die Glutenfrei-Ampel für die eigenen vier Wände

Halte ich mich immer an den sichersten Weg, ist das Entdecken eines Glutengehalts in einem Lebensmittel oder anderen Alltagsgegenstand sowie das Einschätzen der Risiken hier und da mit ein wenig Suchen verbunden, alles in allem aber nicht kompliziert. Weitaus schwieriger ist es, mögliche und tatsächliche Kontaminationen einzuschätzen. Die Gefahr der Verunreinigung lauert schier überall und folgt mir – oder besser verfolgt mich – sogar bis in die eigenen vier Wände. Dort aber muss sie verbannt werden.

Jedem Zöliakiebetroffenen kann ich nur dringend raten, das eigene Heim zum sichersten Ort in der Welt der Zöliakie auszubauen, quasi zu einer glutenfreien Festung getreu dem Motto »*My home is my castle* ⇆ *Mein Heim ist meine Burg*«. Denn das Gefühl der Sicherheit ist ein ganz wesentlicher Faktor beim Leben mit Zöliakie.

Das mit dem Ausbauen der eigenen vier Wände zu einer glutenfreien Festung ist je nach gegebenen Lebensumständen zum Zeitpunkt der Diagnose oftmals wieder leichter gesagt als getan. In vielen Haushalten lassen sich die Kontaminationsquellen nur reduzieren und die Gefahren einschränken, aber leider nicht mit letzter Sicherheit ausschließen.

Der glutenfreie Haushalt

Unkompliziert und einfach zu händeln ist eine Gesamtsituation, wenn ich von Kind an und entsprechend beim Einzug in die erste eigene – allein bezogene – Wohnung glutenfrei lebe, weil ich es nicht anders kenne. Oder wenn zwei oder auch mehrere Zöliakiebetroffene in einem Haushalt leben. In diesen Fällen muss nur das fortgeführt werden, was man zuhause gelernt hat.

Vergleichsweise einfach ist die Situation, wenn ich alleine lebe und nach der Diagnose meinen Haushalt umstellen muss. Dann sind als erstes aus allen Vorratsschränken und -regalen die nicht eindeutig glutenfreien Produkte zu entfernen. Da die mit den Lebensmitteln verbundenen Risiken nunmehr bekannt sind, dürfte das kein großes Problem sein. Die Regale und Schränke vor dem Befüllen mit gluten-freien Produkten gründlich zu reinigen und von glutenhaltigen Resten zu befreien, schadet sicherlich nicht.

Bei den Küchenutensilien gilt mein Augenmerk den Dingen, in denen sich Mehlstaub, kleinste Krümel oder sonstige Reste glutenhaltiger Produkte festgesetzt haben können. Das sind die Geräte, in die ein Lebensmittel direkt – wie bei Toastern oder Mühlen – oder ein Hilfsmittel zum Verarbeiten der Lebensmittel gesteckt wird – wie bei Stabmixern. Für solche Geräte lautet die Faustregel: *Lässt es sich nicht auf das Penibelste reinigen, muss es neu angeschafft werden.*

Das gilt insbesondere für Rührgeräte, Mixer und sonstige Küchen-geräte, die Schlitze zum Belüften des Gerätes oder eine Öffnung für Schneebesen, Knet- oder Rührhaken sowie Messer und andere Zer-kleinerer haben. Wurde mit einem solchen Gerät irgendwann einmal zum Beispiel Weizenmehl verarbeitet, ist der dabei unvermeidbar entstehende Mehlstaub in die Öffnungen eingedrungen – und kann aus ihnen bei der nächsten Verwendung wieder austreten. Da das Öffnen der Geräte meist nicht vorgesehen ist, lassen sie sich nicht gründlich reinigen und dürfen deshalb bei der Zubereitung gluten-freier Lebensmittel nicht weiterbenutzt werden.

Haushaltsgeräte zum Backen, Grillen oder Toasten müssen nicht zwingend ersetzt werden, wenn ein Hilfsmittel wie Backpapier oder eine beschichtete Schutz- oder Permanentfolie verwendet werden kann. Beim Toasten schützt ein Toastabag – das ist eine teflonbe-schichtete Tasche, in die das Brot oder Toastbrot gesteckt wird – vor einer möglichen Kontamination.

Möchte ich ganz sicher gehen, tausche ich auch Bretter und Kochlöffel aus Holz aus, da sich in deren Poren und Ritzen – Holz hat eine poröse Oberfläche – ebenfalls glutenhaltige Partikel festgesetzt haben können. Das ist bei Produkten aus Kunststoff und Edelstahl zwar im Fall von tiefen Kratzern ebenso möglich, die sollten dann aber eh aussortiert werden.

Problemlos weiterhin verwenden kann ich intakte Töpfe, Pfannen, Backbleche oder Back- und Auflaufformen. Das gilt auch für Schalen und Schüsseln, Kannen und Karaffen, Tassen und Gläser oder sonstiges Besteck und Geschirr sowie andere elektrische oder manuell zu bedienende Küchengeräte und Kochutensilien.

Alles in allem ist die Umstellung des Haushalts schnell erledigt. Da es auch keine Probleme mit Kontaminationen gibt, kann ich die *Glutenfrei-Ampel* in den eigenen vier Wänden nach dem Umstellen getrost auf Stand-by schalten.

Eine Gefahr droht nur, wenn sich Besuch ankündigt, dem ich glutenhaltige Speisen und Getränke anbieten möchte. Oder wenn der Besuch sich selbige mitbringt. Das ist aus meiner Sicht zwar nicht ideal, das *Mein-Heim-ist-meine-Burg* muss aber nicht zu einem glutenfreien Leben unter Laborbedingungen ausarten. Auch muss ich nicht panisch werden und alle glutenhaltigen Lebensmittel verdammen. Es reicht, beim Essen nicht mit ihnen in Berührung zu kommen.

Dafür ist es nie falsch, Sicherheitsvorkehrungen zu treffen. Denn wenn der Besuch etwa glutenhaltige Cracker isst und mit derselben Hand, mit der er die Cracker nimmt, in die Erdnüsse greift, sind die Erdnüsse nicht mehr sicher glutenfrei. Da ist es sicherer, Schalen für mich und den Besuch aufzustellen und das Knabberzeug – oder was auch immer – umzufüllen.

Möchte ich allerdings meinem Besucher in meinem glutenfreien Haushalt glutenhaltige Speisen zubereiten, muss ich unbedingt die *Glutenfrei-Ampel* wieder einschalten und zudem die Hinweise aus dem Kapitel »*Die Glutenfrei-Ampel für das zeitgleiche Zubereiten gluten-freier und glutenhaltiger Speisen*« beachten.

Generell ist zu bedenken, dass mit der Zubereitung glutenhaltiger Speisen für mich ein sehr großes Risiko verbunden sein kann. Eine glutenhaltige Pizza auf einem Backpapier in den Ofen zu schieben ist durchaus machbar, den glutenhaltigen Pizzateig selbst herstellen zu wollen, alles andere als eine gute Idee. Deshalb hat die Sicherheit meines eigenen glutenfreien Lebens hier stets Vorrang vor der Höflichkeit, meinem Gast etwas (an)bieten zu wollen.

Der glutenfreie im glutenhaltigen Haushalt

Komplizierter – aber nicht unlösbar – ist die Situation in einem Haushalt mit glutenfreien und glutenhaltigen Lebensmitteln. Das ist dann quasi ein gemischter Haushalt, bei dem ein Haushalt im Haushalt mit einer stets eingeschalteten *Glutenfrei-Ampel* zu führen ist.

Die Küchengeräte, die für den glutenfreien Einzelhaushalt ausgetauscht werden müssen, dürfen im gemischten Haushalt natürlich nicht für die Verarbeitung glutenfreier und glutenhaltiger Produkte verwendet werden. Hier bleibt nichts anderes übrig, als je ein zweites Gerät zu kaufen. Wenn möglich, können wiederum die beschichteten Taschen oder Folien verwendet werden.

Werden für die glutenfreien Lebensmittel etwa in Form oder Farbe unterschiedliche Kochutensilien verwendet, wird die Trennung auch optisch sichtbar. Das ist hilfreich, damit es beim Kochen und Backen nicht zu Verwechslungen kommt.

Alle anderen Küchenutensilien müssen nicht doppelt angeschafft und dürfen für die Verarbeitung von glutenfreien und glutenhaltigen Produkten verwendet werden – natürlich nicht gleichzeitig.

Nach der Verwendung der Küchengeräte und Kochutensilien sowie von Geschirr und Besteck ist auf das rückstandsfreie Säubern zu achten. Nacheinander oder separat gereinigt oder gespült werden muss wegen des Glutens aber nichts. Eine Zöliakie liefert mir also keinen Grund, mich vor dem Spülen zu drücken. Das kann aber ebenso gut die Geschirrspülmaschine übernehmen.

Da es zur Eigenschaft *sauber* generell recht unterschiedliche Auffassungen gibt, ist es nicht verkehrt, vor dem Benutzen von Töpfen, Pfannen, Gabeln oder Messern zu prüfen, ob sich nicht doch irgendwo ein Speiserest versteckt. Gleiches gilt für die Schneidebretter und Arbeitsflächen, auf denen die glutenfreien Lebensmittel vor- und zubereitet werden.

• • • • •

Bei der Aufbewahrung der Lebensmittel hilft mir eine kleine goldene Regel, die glutenfreien Produkte vor einer Kontamination zu schützen: *Glutenfrei separat oder oberhalb von glutenhaltig!*

Bekanntermaßen fallen alle Dinge auf der Erde mehr oder weniger senkrecht zu Boden, aber nie nach oben. Idealerweise werden für das Lagern der glutenfreien Lebensmittel eigene Küchenschränke oder Regale eingerichtet. Lässt sich das nicht umsetzen, können glutenfreie Produkte in fest verschlossenen Behältern in Bereichen oberhalb von glutenhaltigen Produkten recht sicher aufbewahrt werden.

Beim Einräumen und Verstauen nach einem Einkauf oder beim Herausnehmen vor dem Kochen oder Backen bietet es sich an, die glutenfreien Produkte immer zuerst zu verstauen beziehungsweise zu nehmen. Immerhin fallen die Dinge nicht nur regelmäßig von oben nach unten, einige bleiben auch an den Händen oder der Kleidung haften und können so übertragen werden.

MERKE: *Glutenfreie Lebensmittel vor glutenhaltigen Lebensmitteln nehmen und glutenfreie Lebensmittel in eigenen Bereichen oder oberhalb von glutenhaltigen Lebensmitteln lagern.*

Aus demselben Grund sind die Gläser und Behältnisse der Lebensmittel weitere Kontaminationsquellen, die ein nicht zu kalkulierendes Risiko bergen. Auch sie dürfen nur getrennt benutzt werden. Es ist nun mal so: Ob Butter oder Margarine, Streichkäse, Honig, Nussnougat- oder Schokocreme, Konfitüre oder Marmelade – am Frühstückstisch nimmt sich davon jeder etwas mit seinem Messer, um sein – glutenhaltiges – Brot oder Brötchen zu bestreichen. Ist die Schicht nicht dick genug, wird sich noch etwas genommen und das so oft, bis er oder sie glücklich und zufrieden ist.

Nur ich bin jetzt unglücklich und unzufrieden, weil ich nicht ausschließen kann, dass bei diesem Prozedere glutenhaltige Brötchen- oder Brotkrümel am Messer hängengeblieben und so in Butter, Margarine, Streichkäse, Honig, Konfitüre, Marmelade, Nussnougat- oder Schokocreme gelangt sind, sodass ich mir von diesen Sachen nichts mehr nehmen kann.

Es gibt für einige Produkte zwar Alternativen wie etwa Honigspender oder Marmeladenlöffel, höchste Sicherheit bietet mir aber nur die Nutzung eigener Gläser und Behältnisse. Die müssen für meine Mitbewohner keineswegs tabu sein, dürfen aber nur dann mitbenutzt werden, wenn die Mitbewohner zuverlässig alle Sicherheitsmaßnahmen einhalten.

Generell ist das Einhalten der Sicherheits- und Vorsichtsmaßnahmen in einer Familien- oder Haushaltsgemeinschaft enorm wichtig. Zuverlässigkeit und ein grundsätzliches Vertrauen-Können sind für ein sicheres Leben ohne Gluten weitere wesentliche Punkte und wiederum fest verbunden mit dem Gefühl der Sicherheit.

Dem gegenüber steht das unabdingbare Muss der ständigen Rücksichtnahme der Familienmitglieder oder Mitbewohner, die von der Zöliakie nicht betroffen sind. Das ist in der Regel kein Problem, solange eine Gemeinschaft gut und stressfrei funktioniert. Doch wird es wohl kaum nur gute Zeiten geben und wenn es gerade einmal nicht so gut läuft, muss die Aufmerksamkeit verstärkt werden, da dann – bewusst oder unbewusst – die Bereitschaft für eine ständige Rücksichtnahme sinken kann.

• • • • •

Da überall Gefahren oder Risiken lauern und ständig aufgepasst werden muss – und vom Kochen oder Backen war ja noch gar nicht die Rede – wird sich in so mancher Familie und Lebensgemeinschaft gefragt, ob es nicht besser ist, wenn sich alle nur noch glutenfrei ernähren. Das klingt nach einer perfekten Lösung, vor allem mit zöliakiebetroffenen Kindern – für die später ein eigenes Kapitel folgt.

Dennoch sprechen eher mehr Punkte gegen als für einen komplett glutenfreien Haushalt. Zum einen ist eine glutenfreie Ernährung für nichtbetroffene Familienmitglieder oder Mitbewohner kein Mehrwert, zum anderen sind die glutenfreien Lebensmittel eine ziemliche Belastung für die Haushaltskasse – worauf ich ebenfalls noch zu sprechen komme. Vor allem aber kann ein zöliakiebetroffenes Kind in einem gemischten Haushalt am besten auf sein späteres glutenfreies Leben vorbereitet werden.

In den meisten Fällen ist es allerdings schlichtweg nicht notwendig, dass sich alle glutenfrei ernähren. Ein wenig Obacht beim Umgang mit den Lebensmitteln ist in Verbindung mit einem normalen rücksichtsvollen Miteinander völlig ausreichend.

Glutenfreie und glutenhaltige Speisen zeitgleich zubereiten

Jetzt reicht ein wenig Obacht nicht mehr aus, jetzt geht es um das Kochen und Backen und sonstige Zubereiten von glutenfreien und glutenhaltigen Speisen – und zwar das gleichzeitige. Dies ist eine der ganz großen Gefahrenquellen im sicheren Leben ohne Gluten. Werden in einer Küche zeitgleich glutenfreie und glutenhaltige Gerichte oder in einer Backstube glutenfreie und glutenhaltige Backwaren zubereitet, ist kein Koch und kein Bäcker der Welt vor Fehlern gefeit. Dafür gibt es – wie dann auch beim späteren Anrichten und Servieren – einfach zu viele Fehlerquellen.

Wenig überraschend geht die größte Gefahr vom Mehl – in den meisten Fällen vom Weizenmehl – aus. Wer eine Mehlpackung nur aus dem Schrank nimmt, hat das weiße Mehlpulver meist schon an der Hand. Im Durchschnitt enthält ein Gramm Weizenmehl übrigens 86,6 Milligramm Gluten; auf die Zahlen komme ich später zurück.

Das Mehl wird ausgeschüttet oder umgefüllt und verrührt – und dabei entsteht Mehlstaub. Der steigt auf und bleibt eine ganze Zeit in der Luft hängen, aber freilich nicht ewig. Ebenso wenig sinkt er nur dort wieder zu Boden, wo er aufgestiegen ist, sondern verteilt sich in einem gewissen Umkreis. Deshalb sollte der Abstand zwischen einem Arbeitsplatz, an dem glutenfreie Lebensmittel verarbeitet oder zubereitet werden und dem Bereich, in dem mit Weizenmehl gearbeitet wird, wenigstens zwei Meter betragen. Das ist die Empfehlung aus der in der Februarausgabe 2016 des *Journal of Food Protection* veröffentlichten Studie »*Catering Gluten-Free When Simultaneously Using Wheat Flour* ⇆ *Glutenfreies Catering bei gleichzeitiger Verwendung von Weizenmehl*« von Kathryn Miller [et al.]. Allerdings dürfte nicht in jeder Küche ein solch großer Sicherheitsabstand umsetzbar oder einzuhalten sein.

„Obwohl Küchen unterschiedlich sind und individuell betrachtet werden müssen, erwies sich die festgelegte Kontrolle eines Mindestabstands von zwei Metern zusammen mit einer guten Hygienepraxis bei der Zubereitung von GF-Mahlzeiten als wirksam […]"

Glutenfreie Lebensmittel ← **2 METER** → Weizenmehl(staub)

Eine weitere Quelle für Kontaminationen ist die Person, die kocht oder backt. Daran denken die meisten Köche oder Bäcker in der Regel nicht unbedingt. Es ist schön und gut, wenn auf dem Herd zwei Pfannen stehen und in der einen Pfanne das naturbelassene Schnitzel brät, während in der anderen das mit einer glutenhaltigen Panade – oder Panierung – brutzelt. Doch in welcher Küche bleiben beim Panieren das Weizen- oder Paniermehl fein brav in den Schüsseln? Wer wäscht sich nach dem Panieren gewissenhaft die Hände und achtet zudem darauf, dass keine Mehlrückstände in Kleidung oder Küchenschürze hängen?

Und was für die Überbleibsel einer Panade gilt, gilt für jedes Mehl beim Anrühren eines Teiges für Teig- und Backwaren.

• • • • •

Beim Kochen lauert eine ganze Reihe von Fehlern und die meisten Fehler passieren vor allem aus der Macht der Gewohnheit:

- Der naturbelassene Fisch wird in eine Pfanne neben einen mit Weizenmehl mehlierten gelegt oder
- das naturbelassene Schnitzel mit der gleichen Zange gewendet wie das mit Weizen- und Paniermehl panierte.
- Im Kochwasser der glutenhaltigen Nudeln wird das Gemüse blanchiert oder
- das Kochwasser der glutenhaltigen Nudeln zum Verlängern einer Soße verwendet,
- die glutenhaltigen und glutenfreien Nudeln werden abwechselnd mit demselben Löffel umgerührt oder
- die glutenfreien Nudeln nach den glutenhaltigen durch dasselbe Sieb abgegossen.
- Glutenfreie und glutenhaltige Pommes Frites werden im selben Öl frittiert,

- glutenfreie und glutenhaltige Brötchen mit demselben Messer aufgeschnitten oder
- alle Gerichte mit demselben Besteck angerichtet oder auf denselben Servierplatten angereicht.

Damit es nicht zu solchen – oder anderen hier nicht aufgeführten, aber jederzeit möglichen – Fehlern kommt, passe ich für das Zubereiten und Anrichten der glutenfreien Speisen und Getränke meine kleine goldene Regel von eben entsprechend an:

Glutenfrei vor glutenhaltig und …

🕕 **GLUTENFREI** 🕖 GLUTENHALTIG 🕗

18:30 . . . . 19:00 . . . . 19:30 . . . . 20:00 . . . . 20:30

… glutenfrei separat von glutenhaltig oder…

| **GLUTENFREI** | | **GLUTENFREI** | | GLUTENHALTIG | | GLUTENHALTIG |

… glutenfrei oberhalb von glutenhaltig!

| **GLUTENFREI** | | **GLUTENFREI** |

| GLUTENHALTIG | | GLUTENHALTIG |

Die glutenfreien Speisen zeitlich vor den glutenhaltigen vor- und zuzubereiten und bis zum gemeinsamen Essen entsprechend warmzuhalten, ist die sicherste Methode, um jegliche Kontamination zu vermeiden.

MERKE: *Glutenfrei zeitlich vor und räumlich separat oder oberhalb von glutenhaltig!*

Ist das – etwa aus Platzgründen – nicht möglich, dürfen die glutenfreien Gerichte nur mit eigenen Kochutensilien zubereitet und angerichtet werden. Ob Greif- oder Grillzange, Pfannenwender, Rühr-

oder Schöpflöffel, Abschüttsieb, Salatbesteck, Pizzaschneider oder Kuchenheber – kein Gegenstand, der beim Backen oder Kochen auch mit einem glutenhaltigen Produkt in Berührung kommt, darf gleichzeitig für die glutenfreien Produkte verwendet werden.

Außerdem ist unbedingt darauf zu achten, dass die glutenfreien Speisen beim Kochen und Braten jederzeit mit einem Deckel oder zumindest einem Spritzschutz abgedeckt werden, da die Spritzer aus den anderen Töpfen und Pfannen weiter fliegen, als man denkt.

Bei der Zubereitung von Gerichten im Backofen ist es kein Problem, ein glutenfreies und ein glutenhaltiges Produkt gleichzeitig zu backen oder auch warmzuhalten, wenn ich mich beim Ablauf an die goldene Regel halte: Ich stelle zuerst das glutenfreie Produkt auf eine Schiene im oberen Bereich des Ofens, anschließend das glutenhaltige Produkt auf eine Schiene unterhalb des glutenfreien Produkts und nach dem Backen nehme ich zuerst das glutenfreie Produkt aus dem Ofen. Auf die Umluftfunktion sollte in diesem Fall rein vorsichtshalber verzichtet werden.

Zu guter Letzt habe ich beim Anrichten und Servieren der Speisen sorgfältig darauf zu achten, dass – siehe meine goldene Regel – keine glutenhaltigen Speisen oberhalb von glutenfreien angereicht werden oder stehen. Auf dem Esstisch den Brotkorb mit dem glutenhaltigen Brot gleich neben den glutenfreien Tomate-Mozzarella-Salat zu stellen, ist also nie eine gute Idee. Immer eine gute Idee ist es dagegen, die glutenfreien Speisen separat an den Tisch zu bringen oder bei Buffets ein eigenes nur für glutenfreie Speisen aufzubauen oder zumindest auf dem Buffet einen Teil für selbige großzügig räumlich abzutrennen.

Siehe auch: »*Auf einen Blick – Kontaminationen vermeiden beim gleichzeitigen Umgang mit glutenhaltigen und glutenfreien Lebensmitteln*« auf Seite 238.

Die Glutenfrei-Ampel für den Umgang
mit glutenhaltigen Lebensmitteln

Für einige Zöliakiebetroffene lässt es sich in ihrem Alltag nicht vermeiden, regelmäßig mit glutenhaltigen Lebensmitteln in Berührung zu kommen. Das kann in den eigenen vier Wänden sein, etwa beim Schmieren des Pausenbrotes für die nichtbetroffenen Familienmitglieder oder bei der Zubereitung des Mittag- oder Abendessens, aber natürlich auch am Arbeitsplatz.

Generell ist der Umgang mit einem glutenhaltigen Lebensmittel für mich kein Problem. Ich kann gefahrlos ein Weizen- oder Roggenmehl anfassen, solange ich dabei konzentriert bin und bleibe, damit ich mir nicht – etwa reflexartig – an den Mund fasse. Immerhin enthält laut der bereits erwähnten »*Analyse von Glutengehalten in Getreide und getreidehaltigen Produkten*« ein Gramm Weizenmehl bis zu gut 100 Milligramm Gluten.

Das Tragen von Handschuhen ist beim Umgang mit krümeligen oder mehligen glutenhaltigen Produkten ein guter Schutz, ansonsten ist es ein Muss, dass ich mir nach dem Kontakt die Hände wasche.

Besondere Vorsicht gilt wieder bei Mehlstaub. Dem sollte ich mich nicht unmittelbar aussetzen, sprich ohne Mund- und Nasenschutz. Ebenso darf ich nicht vergessen, dass der Mehlstaub, einmal freigesetzt, mit Sicherheit auch an der Kleidung haftet.

• • • • •

Fraglich ist, ob überhaupt und wenn ja, wie sicher ein Arbeitsplatz mit einem direkten Kontakt zu glutenhaltigen Lebensmittelzutaten für mich als Zöliakiebetroffenen sein kann. Etwa bei einer Tätigkeit in einem lebensmittelherstellenden oder -verabeitendem Betrieb, im Handel oder der Gastronomie.

Wie hoch das Risiko letztlich ist, hängt natürlich von der Arbeitsplatzumgebung, den Arbeitsbedingungen und dem Einhalten von Sicherheitsmaßnahmen – etwa dem Tragen von Schutzkleidung – ab. Alle diese Faktoren lassen sich durchaus mit meinem persönlichen Sicherheitsempfinden in Einklang bringen.

Komplizierter ist die Situation, wenn ein Koch, Bäcker, Konditor oder Lebensmitteltechniker zöliakiebetroffen ist und deutlich komplizierter, wenn die Zöliakie bei ihm neu diagnostiziert wird. Kann trotz der nun bekannten Autoimmunerkrankung die Arbeit behalten oder eine Ausbildung beendet werden?

Auf jeden Fall ist nicht alleine der unvermeidliche Kontakt mit den glutenhaltigen Mehlen oder Mehlstaub ein Problem, auch das regelmäßige Abschmecken und Probieren gehört zum Handwerk und beides ist logischerweise nicht beziehungsweise nicht mehr möglich. Bestimmt kann hier und da ein Kollege aushelfen und einen Teil der Arbeit übernehmen. Ob das aber beispielsweise in der Küche eines gut besuchten Restaurants mit etlichen zu kochenden Gerichten an einem Tag oder Abend immer reibungslos funktioniert oder den Küchenchef nicht doch irgendwann auf die Palme bringt, ist die Frage.

Steht dann doch ein Entweder-oder im Raum, gilt es konsequent zu bleiben und auf das Auslassen von Arbeitsschritten und Einhalten der Sicherheitsmaßnahmen zu bestehen. Wenn es gar nicht anders geht, muss zur Not ein anderer Arbeitsplatz oder sogar ein anderer Job her.

MERKE: *Das Einhalten von Sicherheitsmaßnahmen ist beim Umgang mit glutenhaltigen Produkten unabdingbare Voraussetzung.*

Die Glutenfrei-Ampel für das Essengehen

Für wen ist es nicht angenehm, in einem Bistro oder Restaurant zu essen, sich im Familienkreis zum Essen einladen oder von Freunden bekochen zu lassen? Auch im Urlaub habe ich meist nicht die Möglichkeit, vor allem aber keine Lust, mich an den Herd zu stellen und selbst zu kochen. Nur birgt leider jedes Sich-bekochen-Lassen für mich die größten Gefahren und die Einschätzung eines Glutengehalts in einer zubereiteten Speise oder einem Getränk ist ungleich schwieriger als die bei einem Lebensmittel.

Beim Essengehen kommen zu den bisher beim Kochen und Backen genannten Fehlermöglichkeiten weitere Risiken hinzu: Da ist wieder einmal die Kontamination der glutenfreien Speisen und Getränke mit glutenhaltigen Produkten bei der Vor- und Zubereitung sowie beim Anrichten und Servieren, aber auch die unbeabsichtigt falsche Zuordnung der Lebensmittel durch die Person, die das Essen zubereitet. In Verbindung mit Unachtsamkeit, Unkenntnis oder auch Desinteresse potenziert sich die Gefahr eines Fehlers geradezu.

Für mich spielt es letzten Endes keine Rolle, ob es aus Gedankenlosigkeit, einer Arbeitsroutine heraus oder wegen Unwissenheit zu einem Fehler kommt. Ich kann einer Speise nicht ansehen, ob sie Gluten enthält. Deshalb gilt bei der Risikobewertung bei jeder Fremdzubereitung nicht nur eine goldene Regel, sondern eine Nulltoleranz: *Kann für eine Speise die Glutenfreiheit nicht garantiert werden, darf ich das Gericht nicht essen.* Das Risiko ist zu hoch, ich muss die Finger davonlassen. Gleiches gilt natürlich für Getränke.

Das ist schön und gut, nur gibt es schon wieder einen Haken: Eine solche Sicherheit ist recht selten, wenn ich etwas esse, was ich nicht selbst zubereitet habe. Und eine Regelung wie für die maximal erlaubte Glutenmenge in einem kontaminierten Lebensmittel – quasi einen Rettungsring – gibt es in der Gastronomie nicht. Kommt es bei der Zubereitung oder beim Anrichten zu einer Kontamination, wird die Glutenbelastung schnell weit über den erlaubten 80 mg/kg der Lebensmittel liegen. Darum ist und bleibt jedes Essen außer Haus immer eine Vertrauenssache, die mit einem Restrisiko behaftet ist.

Dennoch ist nicht jedes Essengehen für mich ein Spießrutenlauf, sondern macht auch mit Zöliakie Spaß, wenn ich einige Punkte beachte und insbesondere konsequent einhalte.

ERINNERUNG: *Für Vermutungen und Wunschdenken ist in den Risikobewertungen für ein sicheres Leben ohne Gluten kein Platz!*

Essengehen innerhalb der Familie und bei Freunden

Gehe ich in der Familie, bei Freunden oder guten Bekannten essen, ist das Abklären der glutenfreien Speisen und Getränke sowie das Besprechen der Zubereitung in der Regel kein Problem. Zumindest kann dadurch im Normalfall jeder Anflug von Stress gemeistert und so manch gefühlte Katastrophe verhindert werden.

Immerhin wird die Stimmung an einer Kaffeetafel kaum bestens sein, wenn sich jemand vom Suchen des Rezeptes für einen glutenfreien Kuchen über das Einkaufen der Zutaten bis zum Backen besonders viel Mühe macht, um dann von mir zu hören, dass ich den Kuchen leider dennoch nicht essen darf, weil der weizenmehlkontaminierte Handmixer beim Teigrühren verwendet wurde. Gleiches gilt für das Grillfest, wenn ich den nur für mich besorgten Fisch ablehnen muss, weil beim Grillen die Grillschale vergessen und der Fisch auf dem Rost ausgerechnet dort gegrillt wurde, wo vorher das Putensteak mit einer glutenhaltigen Marinade lag.

Das Mitbringen eigener Speisen und Getränke kommt aber – vor allem bei einer Einladung zum Essen – auch nicht bei jedem Gastgeber besonders gut an und kann ein Konfliktpotential bergen. Es gibt und finden sich also zahlreiche Gründe, die Umstände und Gegebenheiten des Essengehens vorher und in aller Ruhe mit den jeweiligen Gastgebern zu besprechen.

Sollte es mit der – auch nicht ansatzweise verhandelbaren – Rücksichtnahme oder dem Verständnis für meine Situation doch einmal hapern, darf ich mich auf keinen Fall unter Druck setzen lassen. Von niemandem. Das Essen muss ich trotzdem konsequent ablehnen.

Natürlich gibt es auch die gegenteiligen Situationen, bei denen es die Gastgeber mit der Vorsicht derart übertreiben, dass mir das ständige Nachfragen, ob mit dem Essen auch wirklich alles in Ordnung ist, fast schon peinlich ist.

Wie immer es sich bei einem Essen in der Familie, bei Freunden oder guten Bekannten verhält: Ist ein In-die-Töpfe-, Auf-den-Grill- oder Über-die-Schulter-Schauen möglich, dann sollte ich es auch tun. Nicht unbedingt wegen der Kontrolle, sondern allein, weil es mir ein gutes Gefühl gibt.

Essengehen in einer Gastronomie

Das Risiko einer Glutenbelastung ist beim Essengehen innerhalb der Familie und bei Freuden in den meisten Fällen gut händelbar. Beim Essengehen in einem – beliebigen – gastronomischen Betrieb, in dessen Küche zur gleichen Zeit glutenhaltige und glutenfreie Speisen zubereitet werden, ist es dagegen nicht kalkulierbar. Dafür gibt es viel zu viele Fehlerquellen, vor allem, wenn einstudierte Arbeitsschritte quasi automatisch ablaufen.

Entsprechend schwierig gestaltet sich die Einschätzung eines Risikos. Man sollte meinen, dass gelernte Köche sich heutzutage mit den unterschiedlichen Lebensmitteln auskennen und wissen, was Gluten und wie es einzuordnen ist. Doch dem ist leider längst nicht so. Auch heute noch rät so mancher Koch auf die Frage nach glutenhaltigen

Zutaten fröhlich drauf los und meint, dass ich keine Kartoffeln essen dürfe, während ein anderer – fast schon in seiner Ehre gekränkt – mit Nachdruck betont, selbstverständlich ohne Glutamat zu kochen.

„Machen Sie sich keine Sorgen." Das ist nett gesagt, Sorgen muss ich mir in einem solchen Fall aber unbedingt machen. Ich muss sogar ernsthaft überlegen, ob ich nicht besser auf das Essen verzichte.

Wie vermutlich jeder Zöliakiebetroffene habe auch ich schon erlebt, dass mir beim Durchgehen der Speisekarte versichert wird, ein Gericht sei glutenfrei, was beim Servieren dann offensichtlich nicht der Fall ist. In die glutenfreie Spargelcremesuppe werden Croutons aus geröstetem Weizentoastbrot gegeben. Das Steak ist glutenfrei, nur die dekorativ darüber angerichtete Soße ist es nicht. Und zur Brat- oder Currywurst wird – wie auch zum Salat – eine Schreibe Graubrot gelegt. Mit zu den Klassikern schlechthin zählt das glutenfreie Eis von der Eisdiele oder dem Eiswagen, in das eine glutenhaltige Waffel gesteckt wird.

• • • • •

Damit ich in oder von einem gastronomischen Betrieb ein sicher glutenfreies Essen bekomme, müssen in dessen Küche eigene oder zumindest abgetrennte Arbeitsbereiche für die glutenfreien Speisen eingerichtet sein. Gibt es die nicht, ist eine Frage, welcher Abstand zwischen den Arbeitsplätzen liegt. Der sollte ja – wie festgestellt – mindestens zwei Meter betragen.

Glutenfreie Lebensmittel ← **2 METER** → Weizenmehl(staub)

Wird alles an einem Arbeitsbereich zubereitet, ist die andere Frage, ob und wie gründlich der vor der Zubereitung eines glutenfreien Gerichts gereinigt wird. Die Reinigung kann sich nämlich durchaus komplizierter gestalten als gedacht. Wird etwa anstelle mehrerer

Pfannen ein großer Bräter oder Grill verwendet, kann der während des laufenden Betriebs nicht zwischendurch für eine gründliche Reinigung abgeschaltet werden.

Außerdem lassen sich viele Köche einige ihrer Produkte vorproduziert anliefern – etwa geschälte und geschnittene Kartoffeln oder Karotten oder anderes Gemüse, Salat oder Obst. Dann habe ich es schon mit zwei Küchen zu tun, von denen ich nicht genau wissen kann, wie sicher glutenfrei die Produkte verarbeitet werden.

Alleine aus den gerade genannten Punkten fallen für mich von vornherein die Bars, Bistros, Cafés, Imbisse und Schnellrestaurants sowie Pizzerien als Ziel des Essengehens weg, in denen in einer eher überschaubar großen Küche traditionell mit Weizenmehl oder daraus zubereiteten Broten und Brötchen gearbeitet wird.

Freilich fallen nicht alle der genannten Gastronomien weg, einige haben trotz kleinerer Küchen glutenfreie Burger, Pasta oder Pizza im Angebot, wissen um die Problematik, sind entsprechend ausgestattet und kennen sich mit der Zubereitung der glutenfreien Produkte gut aus. Dann kann beispielsweise ein Burgerladen auch einen glutenfreien Burger oder ein italienisches Ristorante eine glutenfreie Pizza und glutenfreie Pasta sicher anbieten.

Bei den großen Ketten – oft sind es die der Schnellrestaurants – ist das Angebot an glutenfreien Speisen in Deutschland momentan eher überschaubar und europaweit von Land zu Land unterschiedlich umfangreich, aber nicht immer vertrauenswürdig.

Das sind übrigens auch Gastronomiebetriebe mit einer Glutenfrei-Zertifizierung nicht automatisch. In einem zertifizierten Betrieb sind zwar einige – wenn nicht alle – Mitarbeiter im fachgemäßen Umgang mit glutenfreien Produkten geschult, das Zertifikat darf ich aber nicht als Garantie für die Vermeidung von Fehlern sehen – es befreit mich also nicht von der Verpflichtung zur steten Aufmerksamkeit.

•••••

Zwei Dinge helfen, damit das Essengehen entspannt verläuft: Als erstes sollte ich unbedingt die Erwartungshaltung zuhause lassen, dass sich – egal wo – jeder für meine Zöliakie zu interessieren und um mein glutenfreies Essen zu bemühen hat. Mir muss klar sein, dass es gerade in der Gastronomie häufig Arbeitsüberlastungen gibt, aber auch Desinteresse – und somit auch Köche und Servicekräfte, die sich aus verschiedenen Gründen gar nicht oder nicht ausreichend über Allergene informieren oder informieren können.

Das ist natürlich völlig legitim. Ebenso legitim ist es dann allerdings auch, im Fall eines Falles nichts zu bestellen, *„Nein danke"* zu sagen und in ein anderes Speiselokal zu gehen.

Auch wenn das Personal in einer Küche nicht eigens auf die Zubereitung glutenfreier Gerichte spezialisiert sein muss, muss es gewillt sein, mir beim Kochen, Anrichten und Servieren die Glutenfreiheit und ebenso eine Kontaminationsfreiheit zu gewährleisten. Und das selbst dann, wenn zu Stoßzeiten zahlreiche Bestellungen auf einmal abzuarbeiten sind. In vielen Restaurants, Brauhäusern, Cafés, Bistros oder Hotels ist das heute auch so und das Servicepersonal ist bemüht und rennt zigmal in die Küche, um kleinste Details zu klären. Daraus darf ich aber keine Selbstverständlichkeit oder gar einen generellen und immerwährenden Anspruch ableiten.

Zweitens ist es nie verkehrt, wenn ich mich vorab über die Lokalität informiere, indem ich beispielsweise ihre – hoffentlich aktuell gehaltenen – Internetangebote aufrufe und einen Blick in die Speisekarte mit den Allergenkennzeichnungen werfe. Soweit diese vorhanden sind, denn obwohl bereits seit Dezember 2014 in jeder Gastronomie die Allergene in den angebotenen Speisen und Getränken aufgeführt werden müssen, wird das leider längst noch nicht überall umgesetzt.

Die Allergenkennzeichnung selbst ist ebenso ein Indikator für die Informiertheit des Betreibers beziehungsweise des Personals in der Küche. Sind die Allergene oder ist die Allergenkarte abenteuerlich zusammengestellt, kann auch das ein Zeichen für mangelnde Kenntnisse sein. So frage ich mich jedes Mal, warum beispielsweise ein Tomate-Mozzarella-Salat mit Pfeffer und Olivenöl glutenhaltig sein soll, wenn separat dazu Brot gereicht wird.

Am besten ist es immer, beim Lokal anzurufen und nach der Möglichkeit des glutenfreien Speisens zu fragen. Auch die Erfahrungen von anderen Zöliakiebetroffenen können durchaus hilfreich sein und als Anhaltspunkte dienen, in welcher Gastronomie sich die Köche gut auskennen und in welcher das eher nicht so ist.

• • • • •

Ob mit oder ohne Vorplanung steht vor Ort an erster Stelle stets das Nachfragen beim Servicepersonal oder bei den Köchen. Das mag lästig sein, ist aber unerlässlich. Eine Zurückhaltung kann ich mir nicht erlauben, denn eine andere Möglichkeit, einen Glutengehalt in den Speisen und Getränken festzustellen, habe ich nicht.

Wobei das mit dem Fragen so eine Sache ist, wenn sich das Personal – wie angedeutet – nicht auskennt oder, was noch schlimmer ist, über ein gefährliches Halbwissen verfügt. Meist ist es deshalb hilfreicher, wenn ich nicht nach etwas Abstraktem wie Gluten frage, sondern direkt nach den Produkten, die jeder kennt, wie beispielsweise Weizenmehl, Paniermehl, Croutons oder andere klassisch glutenhaltige Beilagen und Zutaten.

Das Nachhaken in Bezug auf Kontaminationen und Verunreinigungen darf selbstverständlich nicht fehlen, da sie ja das deutlich größere Problem sind. Auch das setzt freilich eine große, für mich jedoch angemessene Informiertheit seitens des Anbieters voraus.

Ist beim Bestellen des Gerichts nicht sicher, dass in der Küche alle Vorsichtsmaßnahmen beachtet werden oder werden können, kann meine Risikobewertung nur zu einem Ergebnis führen: Möchte ich auf Nummer sicher gehen, gebe ich lieber keine Bestellung auf. Das wird in der jeweiligen Situation vielleicht unangenehm sein, ist auf jeden Fall aber besser als ein Glutenunfall.

Bestelle ich und wird mir das Essen schließlich gebracht, steht die wichtigste Entscheidung an: Essen oder nicht essen?

Das ist meine letzte Kontrollmöglichkeit und meine letzte Chance zur Nachfrage. Deshalb freue ich mich immer, wenn mir der Kellner, Ober oder auch der Koch beim Servieren nochmals die Glutenfreiheit meines Gerichts bestätigt.

Sieht aber mein glutenfreier Burger genauso wie der glutenhaltige am Nebentisch aus oder meine glutenfreie Pizza wie jede andere glutenhaltige – ja, mit ein wenig Erfahrung können meist Unterschiede in Form oder Größe ausgemacht werden –, ist eine Soße oder Suppe merkwürdig angedickt, das Gemüse eigenartig saftig, eine Panade für mich nicht definierbar, meine Currywurst mit Röstzwiebeln unklarer Machart dekoriert oder schwimmen in meiner Spargelcremesuppe Croutons, muss ich mir unbedingt noch einmal zu- und versichern lassen, dass das Gericht sicher glutenfrei ist.

Ist die Antwort nicht eindeutig, gilt wieder die Vorgabe der Risikobewertung: Ich muss das Essen zurückgehen lassen und wenn es gar nicht anders geht, auf das Essen komplett verzichten. Das mag in der jeweiligen Situation noch unangenehmer sein als der Verzicht beim Bestellen, ist aber ebenso unvermeidlich. Zu dem Konfliktpotential in einer solchen Situation komme ich gleich im Kapitel »*Das Malheur, die paar Krümel und die Extrawurst*«.

MERKE: *Bin ich mir nicht sicher, dass ein Gericht definitiv glutenfrei ist, darf ich es ebenso definitiv nicht essen.*

Meine ich, die Risikobewertung ignorieren zu können oder habe ich schlichtweg keine Lust, noch einmal nachzufragen oder ist mir die Nachfrage unangenehm, akzeptiere ich das Risiko und lasse mein Gericht nicht zurückgehen. Nach dem Essen darf ich mich dann vielleicht über meinen Leichtsinn wundern, nicht aber bei Ober, Kellner oder Koch beschweren.

Auch dafür gibt es bei der *Glutenfrei-Ampel* für ein sicheres Leben ohne Gluten eine Leitlinie: Wer mit einer Zöliakie lebt, wird nie aus seiner Eigenverantwortung entlassen. Im Endeffekt trage ich die Verantwortung für den Verzehr einer Speise oder eines Getränks ganz für mich allein.

• • • • •

Und wie wird eine unklare Situation am besten eingeschätzt und gemeistert? Was mache ich, wenn die Allergenkarte wie zusammengewürfelt wirkt? Was, wenn das Servicepersonal offensichtlich keine Ahnung hat, aber behauptet, der Koch kenne sich aus? Oder wenn in der Speisekarte vermerkt ist, dass Kontaminationen im laufenden Betrieb nicht ausgeschlossen werden können?

Eine Möglichkeit ist, in solchen Zweifelsfällen mit dem Koch zu sprechen, damit meine Nachfrage direkt und nicht über Umwege an der richtigen Stelle ankommt.

Ein anderer Weg ist, bei einem Gericht alles abzubestellen, was klassisch glutenhaltig sein kann. Ein Fisch, Steak oder Schnitzel sollte naturbelassen – also ohne Panade oder Marinade – in einem eigenen oder abgetrennten Bereich gebraten oder gegrillt, auf alle frittierten Dinge, Soßen oder Dressings jenseits von Essig und Öl verzichtet und nach Gewürzen zum Selberwürzen gefragt werden. Als Beilagen bieten sich Reis, Kartoffeln, Gemüse, Pilze, Hülsenfrüchte oder Salate an – freilich auch naturbelassen zubereitet.

Das Risiko, dass dennoch etwas schiefgeht, lässt sich damit zwar nicht abbestellen, aber doch verringern. Immerhin ist die Liste der Lebensmittel, die kein Gluten enthalten und auch nicht mit Weizenmehl zubereitet werden, erfreulich lang.

Wird auch durch das Abbestellen und Weglassen eine Situation nicht klarer und das Bauchgegefühl nicht wesentlich besser, ist der Verzicht auf das Essen letzten Endes angemessener und auch erfolgversprechender als jedes Hoffen mit einem mulmigen Gefühl in der Magengegend, dass es schon irgendwie gut gehen wird.

Wenn ich Pech habe, habe ich das mulmige Gefühl in der Magengegend nämlich gleich zwei Mal.

• • • • •

Beim Essengehen in einem Bistro, Café oder Restaurant, in dessen Küche ausschließlich glutenfreie Speisen zubereitet werden, ist das Risiko einer Glutenbelastung eher gering, weil die meisten Fehlerquellen sicher ausgeschlossen werden können. Ebenso ist es unwahrscheinlich, dass die Betreiber oder Mitarbeiter nicht über die Glutenproblematik gut informiert sind.

Die Glutenfrei-Ampel darf ich aber dennoch nicht ausschalten, da das Risiko besteht, dass der Koch ein glutenfreies Produkt mit einer glutenhaltigen Zutat wie glutenfreie Weizenstärke oder glutenfreien Hafer verwendet, weil er es wegen des Glutenfrei-Schriftzugs oder Glutenfrei-Symbols auf der Verpackung für sicher glutenfrei hält. Und über die Getränke weiß ich inzwischen, dass die glutenfreien Biere fast immer und einige gebraute Limonaden häufig eine glutenhaltige Zutat enthalten.

Insgesamt gesehen bieten mir diese – bislang leider noch eher seltenen – Gastronomien aber die Möglichkeit für ein unbeschwertes Essengehen und sorgenfreies Genießen.

Die Glutenfrei-Ampel für das Verreisen

Ob Ausflug am Wochenende, zweiwöchiger Cluburlaub, mehr-
monatige Erkundung anderer Länder oder kurze Dienstreise – eine
Zöliakie ist kein Grund, nicht zu verreisen oder wegzufahren. Wenig
überraschend ist die Selbstversorgung bei jeder Unternehmung der
optimalste Weg, mich sicher glutenfrei zu ernähren. Nur ist die Lust,
dass ich mich auf einer Reise selbst versorge, nicht immer groß.

Die Chancen auf einen angenehmen Urlaub oder eine gelungene
Reise steigen, wenn ich die Frage der glutenfreien Ernährung nicht
spontan vor Ort, sondern frühzeitig kläre.

Das Reiseziel muss ich freilich nicht nach der Verfügbarkeit von
glutenfreien Lebensmitteln auswählen, zu wissen, welche Rolle die
glutenhaltigen Getreide in einer Landesküche spielen, ist aber hilfreich. Entsprechend groß oder klein fällt nämlich das Angebot der
Speisen am Reiseziel beziehungsweise der Umfang des als Notration
mitzunehmenden Proviants aus.

Bei einer Reise in ein anderes Land können die Informationen in
Bezug auf die glutenfreien Speisen und Getränke bei der jeweiligen
Zöliakiegesellschaft angefragt werden, die zudem bestimmt weitere
Auskünfte zur Essenskultur und für den Aufenthalt in ihrem Land
parat hat. Stehen nur wenige oder sogar keine Informationen zur
Verfügung, ist das Risiko sehr sorgfältig abzuwägen und die Reise
gründlich zu planen, wenn ich nicht die eine oder andere Nacht mit
knurrendem Magen ins Bett gehen möchte.

•••••

Habe ich mich für ein Urlaubsland entschieden, steht die Frage
nach der Art der Unterkunft an und die Frage, wie ich dort hin- und
von dort zurückreise. Bei einer Pauschalreise ist beides kombiniert

und es gibt in der Regel einen Reiseveranstalter, mit dem ich vor der Buchung die Möglichkeit der glutenfreien Ernährung abklären kann. Möchte ich direkt bei einem Hotel oder Ferienclub – also ohne Reiseveranstalter – buchen, erkundige ich mich ebenfalls am besten vorab beim jeweiligen Anbieter nach einer glutenfreien Versorgung und lasse sie mir mit der Buchung bestätigen.

Ähnlich sieht es bei einer Kreuzfahrt aus, deren Veranstalter fragt aber in der Regel von sich aus bei der Buchung nach Lebensmittelallergien oder -unverträglichkeiten. An Bord ist die glutenfreie Verpflegung meist unproblematisch.

In einer angemieteten Ferienwohnung, einem Ferienhaus, Wohnwagen oder Wohnmobil gelten indes wieder die bekannten Regeln für den gemischten Haushalt. Wie gehabt ist das Benutzen kontaminationsanfälliger Küchengeräte tabu, Permanentfolien und Toastabags sind wieder praktische Helfer. Vor der Verwendung von Geschirr, Besteck und sonstigen Kochutensilien ist auf deren Zustand sowie rückstandslose Reinigung zu achten. Sicherer ist es auf jeden Fall, ein kleines eigenes Gebrauchssortiment mitzunehmen.

Lege ich einen Teil meiner selbst organisierten An- und Abreise in einem Flugzeug zurück, kann ich bei den meisten Fluggesellschaften ein glutenfreies Menü – teils mit und teils ohne Aufpreis – bestellen. Bei der Buchung finde ich das in der Regel unter dem Punkt „spezielle Gerichte" oder „Sondermenüs". An Bord sind die glutenfreien Mahlzeiten mit dem Cateringcode GFML oder „Gluten Free Meal ≙ glutenfreie Mahlzeit" gekennzeichnet. Auf kürzeren Flügen, bei denen nur Sandwiches oder Snacks angeboten werden oder selbige zu kaufen sind, ist das Angebot an glutenfreien Produkten meist überschaubar. Hier sollte ich lieber etwas Proviant einpacken.

Fahre ich in einem Zug mit Bordbistro oder Bordrestaurant der Österreichischen oder Schweizerischen Bundesbahn oder Deutschen Bahn, muss ich mir um glutenfreie Gerichte und Mahlzeiten keine

Gedanken machen. Die stehen dort bereits seit geraumer Zeit auf den Speisekarten. Auch in anderen Ländern achten die Bahngesellschaften auf ausreichende Angebote für Allergiker, was im Einzelfall allerdings geprüft werden sollte.

Bei der Fahrt mit einem Fernbus bleibt es dagegen meist bei der Selbstverpflegung. Werden Snacks angeboten, findet sich Glutenfreies darunter in der Regel nur in Form von Chips, Erdnüssen, Schokolade oder Gummibärchen.

• • • • •

Im Reiseland muss ich bei den Lebensmitteln berücksichtigen, ob das Land zum Geltungsbereich der EU nebst den entsprechenden Lebensmittelvorschriften gehört oder nicht. In Ländern außerhalb der EU können andere Regeln für die Allergene in den Lebensmitteln gelten oder auch gar keine. Auch kommt es immer wieder vor, dass dubiose Hersteller und Händler fragwürdige Glutenkennzeichnungen oder offizielle Glutenfrei-Symbole ohne Erlaubnis – sprich ohne Zertifizierung – verwenden. Speziell bei einer Reise in ein Land mit einer laschen oder fehlenden gesetzlichen Regelung sollte ich mich unbedingt vorab informieren, ob dort glutenfreie Produkte und die am besten mit einer anerkannten Zertifizierung angeboten werden.

Nicht verkehrt ist es, wenn ich die Landessprache spreche und vor allem verstehe. Bereise ich ein Land, in dem keine Kennzeichnung der Allergene vorgeschrieben ist, sind gute Sprachkenntnisse quasi Grundvoraussetzung. Erschweren mir Schwierigkeiten mit der Sprache das Fragen nach sicher glutenfreien Speisen oder Getränken und insbesondere nach Kontaminationen, muss ich das in meine Risikobewertung einfließen lassen. Die Vorsicht kann nicht groß genug sein: Wie allgemein bekannt ist Vertrauen gut, Kontrolle aber besser – und der Verzicht bei Unsicherheit unabdingbar.

Für alle Lebensmittel im Ausland gilt, dass ein *Ach-das-kenne-ich-von-zuhause* unvorsichtig und sogar leichtsinnig ist und schwerwiegende Folgen haben kann. Es kommt gar nicht so selten vor, dass ein aus der Heimat bekanntes Produkt in einem anderen Land – auch innerhalb der Länder der EU – nach einer anderen Rezeptur und mit anderen Zutaten hergestellt wird.

Ebenso darf ich vor Ort nicht vergessen, dass in Buffets angebotene Gerichte und Beilagen – auch die mit eigens zubereiteten glutenfreien Produkten – besonders anfällig für Kontaminationen sind. Der eine Gast verteilt querbeet die Krümel seines Roggenbrotes über den Speisen, ein anderer nimmt sich mit dem Servierlöffel aus der Schale mit dem mehlierten Fisch noch etwas Gemüse.

Größte Vorsicht ist am Frühstücksbuffet angebracht, insbesondere wenn Butter, Marmeladen, Honig, Nusscremes oder Frischkäse in offenen Gläsern oder Schalen und nicht einzeln verpackten Portionen angeboten werden. Das ist zwar gut für die Umwelt, für mich aber leider ein hoher Risikofaktor.

• • • • •

Natürlich kann auf einem Ausflug oder einer Reise trotz langer und intensiver Planung immer auch etwas schiefgehen. Im Bordrestaurant des Zugs sind die glutenfreien Brötchen ausverkauft oder meine für den Flug gebuchte glutenfreie Mahlzeit wurde vom Caterer vergessen. Damit werde ich noch ganz gut leben können. Ebenso, wenn das so wärmstens empfohlene Restaurant am Strand seit kurzem leider geschlossen ist.

Ärgerlich wird es, wenn mir das gebuchte Hotel trotz Zusage doch kein glutenfreies Frühstück anbieten kann. Und vielleicht finden sich in einem Reiseland auch nicht so viele glutenfreie Lebensmittel, obwohl der Reiseblogger das so glaubhaft versichert hat.

Für all diese Fälle ist es hilfreich, wenn ich das eine oder andere glutenfreie Produkt als Notration mit auf meinen Ausflug oder die Reise nehme. Hierfür bieten sich – neben zahlreichen Obstsorten – etwa Kekse und Müsliriegel für die Fahrt oder eingeschweißtes Brot und vielleicht auch Nudeln für den Aufenthalt an.

Vor einer Reise sollte ich dann allerdings unbedingt geklärt haben, ob im Reiseland eventuell eine Einfuhrbeschränkung für bestimmte Lebensmittel gilt. Sonst kommt es bei der Einreise beim Zoll plötzlich zu ganz anderen Problemen.

Ein Bissen Nahrung entscheidet oft,
ob wir mit einem hohlen Auge
oder hoffnungsreich in die Zukunft schauen.
Friedrich Nietzsche

Zöliakie
bei Kindern

Die Zöliakie bei einem Kind ist generell eine besondere Herausforderung. Nicht nur für das Kind, sondern für die gesamte Familie. Viele Eltern fühlen sich von der Diagnose zunächst überfordert und fürchten, mit der neuen für ihr Kind erforderlichen Ernährungsweise nicht zurechtzukommen.

Ist in einer Familie bislang kein Fall einer glutenbedingten Erkrankung aufgetreten, kommt die Zöliakie wie aus dem Nichts. Sie fällt normalerweise dadurch auf, dass das Kind ständig kränkelt. Es mag merkwürdig klingen, einer Krankheit etwas Gutes abgewinnen zu wollen, aber die Eltern eines sich nicht normal – also nicht der Norm entsprechend – entwickelnden Kindes sind in der Regel doch froh, wenn mit der Diagnose der Grund dafür gefunden wird und dem Beginn der glutenfreien Ernährung eine normale Entwicklung beim Kind einsetzt. Eine Sorge weniger. In den meisten Verläufen führt die glutenfreie Diät – natürlich streng eingehalten – schnell zu einer Besserung der allgemeinen Befindlichkeit des Kindes.

Welcher Elternteil der Träger und somit wahrscheinlich der Überträger der genetischen Veranlagung ist, ist vielleicht interessant zu wissen und ein guter Zeitpunkt für eine Untersuchung, aber erst einmal keine neue Sorge.

•••••

Quasi mit Vorwarnung tritt die Zöliakie bei einem Kind auf, wenn die Eltern selbst betroffen sind, was meistens nur für einen Elternteil zutrifft. Allerdings trifft nicht zu, dass alle zöliakiebetroffenen Eltern ihre Autoimmunerkrankung vererben. Im Gegenteil. Die Chance, die genetische Veranlagung zu übertragen, ist mit 10 bis 15 Prozent eher gering. Freilich steigt sie wieder um etliche Prozentpunkte, wenn beide Eltern eine Zöliakie haben. Allerdings kann die genetische Veranlagung auch eine Generation überspringen, wenn sich die Zöliakie nach der ersten Vererbung bei den Nachfahren nicht mit Symptomen bemerkbar macht, aber in der übernächsten Generation.

Ist das Kind da, wissen die Eltern nicht – sofern sie nicht direkt einen Gentest machen lassen –, ob es die genetische Veranlagung hat oder nicht. Jetzt stellen sich die Fragen, ob der Säugling – wenn die Mutter eine Zöliakie hat – gestillt und ob das Baby später mit glutenhaltiger Babynahrung gefüttert werden soll. Laut weitläufiger Meinung beeinflusst beides das Auftreten der Zöliakie beim Kind.

Die Diskussion dazu überspringe ich und komme gleich zu dem Ergebnis, dass beide Fragen mit Ja beantwortet werden können, da die im Oktober 2014 im *New England Journal of Medicine* veröffentlichten Studien »*Randomized Feeding Intervention in Infants at High Risk for Celiac Disease* ⇆ *Randomisierte Fütterungsintervention bei Säuglingen mit hohem Risiko für Zöliakie*« und »*Introduction of Gluten, HLA Status, and the Risk of Celiac Disease in Children* ⇆ *Einführung von Gluten, HLA-Status und das Risiko einer Zöliakie bei Kindern*« zeigen, dass weder das Stillen, noch der Zeitpunkt der ersten Aufnahme glutenhaltiger Nahrung einen Einfluss auf das Auftreten der Zöliakie hat.

„Weder die verzögerte Einführung von Gluten, noch das Stillen änderten das Risiko einer Zöliakie bei gefährdeten Säuglingen [...]"

• • • • •

Tritt die Zöliakie schließlich beim Kind auf, ist das Einhalten der glutenfreien Diät sehr wichtig. Auftretende Defizite in der Nährstoffaufnahme sind für ein Kind in der Wachstums- und Entwicklungsphase nie förderlich.

In der Regel haben die Eltern das glutenfreie Leben in den ersten Lebensjahren des Kindes gut im Griff. Hier sind Eltern mit eigener Zöliakie dank ihres Erfahrungsschatzes natürlich im Vorteil.

Das Im-Griff-Haben wird sich – ganz gleich, ob die Eltern selbst betroffen sind oder nicht – mit dem ersten Gang in Kindergarten, Ganztagskindergarten oder Kindertageseinrichtung und spätestens am ersten Schultag erledigt haben. Von nun an ist es den Eltern kaum mehr möglich, die Kontrolle über die glutenfreie Diät ihres Kindes zu behalten. Jetzt sind die Erzieher oder Betreuer und später die Lehrer wie auch die Mitarbeiter in den Küchen der Kitas und Schulen mit ins Boot zu nehmen.

Die müssen ihrerseits aber auch in das Boot steigen wollen. Dafür werden einige Gespräche zu führen sein, bis schließlich allen Beteiligten klar ist, warum die Ernährung des Kindes strikt glutenfrei sein muss und es einer ständigen Obacht bedarf, da das mitgebrachte Essen zum Beispiel gern das Objekt eines Tausche-Schokoladenkeks-gegen-Apfelstück-Handels ist. Ebenso kann etwas Leckeres – etwa ein Stück eines Brötchens oder einer Salzstange – auf den Boden fallen und es dürfte eher selten vorkommen, dass ein Kindergarten- oder Kita-Kind erst artig um Erlaubnis fragt, bevor es ein entdecktes Stück eines Brötchens oder einer Salzstange isst.

Nun ist eine Lebensmittelallergie oder -unverträglichkeit heutzutage keine Besonderheit mehr und die meisten Mitarbeiter in einer Kita, Schule und deren Küche sind dafür sensibilisiert. Entsprechend wird man bei den Gesprächen auf Mitmenschen treffen, die sich mit den verschiedenen Lebensmitteln auskennen oder zumindest das Anliegen verstehen und ernst nehmen. Es wird aber auch andere geben, weil das alles schon nicht so schlimm und dramatisch sein wird und Eltern sowieso immer übertreiben.

Für das Essen einer Kita- und Schulküche gelten indes die nunmehr bekannten Allergenkennzeichnungspflichten. Das heißt, dass die Eltern an den Essensplänen sehen können, welche angebotenen Speisen Gluten enthalten und welche nicht. In einigen Bundesländern – in Deutschland sind Kitas und Schulen im föderalen Bildungssystem Ländersache – wird von den Betreibern der Küchen inzwischen gefordert, allen Kita- oder Schulkindern ein vollwertiges Essen ohne sie krankmachende Zutaten anzubieten. Allerdings ist das derzeit nicht mit einem Anspruch verbunden und so kann es nach wie vor vorkommen, dass ein Kind wegen einer Intoleranz, Unverträglichkeit oder Allergie von den Schulmahlzeiten ausgeschlossen wird.

Gelangen die Eltern zu der Überzeugung, dass ihr Kind – warum auch immer – in einer Kita oder Schule kein gluten- und kontaminationsfreies Essen bekommt, ist es auf jeden Fall sicherer, dem Kind das Essen von zuhause mitzugeben.

Früher oder später steht dann die erste Einladung des Kindes zu einer Geburtstagsfeier bei einem anderen Kind an. Die erste Übernachtung bei der besten Freundin oder dem besten Freund. Der erste Schulausflug, die erste Klassenfahrt, das erste Pfadfinderlager, Reit- oder Fußballcamp oder was sonst außerhalb des direkten Einflussbereichs der Eltern liegt. Dann sind wieder verantwortliche Personen auszumachen, sind Gespräche zu führen und ist – für den Fall der Fälle – einiges an glutenfreiem Proviant einzupacken.

• • • • •

Doch wie können die Eltern sichergehen, dass ihr Kind außer Haus auch wirklich nur glutenfreie Sachen isst? Was passiert, wenn meine Tochter oder mein Sohn als einziges Kind auf der Geburtstagsfeier kein Stück vom Geburtstagskuchen essen darf? Wenn mein Kind in der Schule auf die Spaghetti mit Tomatensoße oder das Schnitzel mit Pommes Frites verzichten muss oder auf Burger oder Döner, wenn die Freunde aus der Schule oder dem Verein in den Imbiss gehen?

Die *Glutenfrei-Ampel* funktioniert zwar bei Zöliakiebetroffenen jeden Alters, ein Kind muss aber erst in das Alter kommen, in dem es die Erkrankung versteht und dann in das Alter, in dem es die Zöliakie als seine Erkrankung akzeptiert und mit ihr umzugehen weiß. Bis dahin werden einige Jahre ins Land ziehen und die Zeit wird nicht für alle Eltern gleich schnell vergehen.

Zudem kommt in den genannten Fällen oft eine weitere nicht zu unterschätzende Komponente ins Spiel: der Gruppenzwang. Wer nicht mitmacht, ist anders und wer anders ist, gilt als Sonderling und wird schnell zum Außenseiter. Das, was Kinder bei einer Auffälligkeit eines anderen Kindes alles so sagen, ist vielleicht nicht böse gemeint, kann aber dennoch recht grausam sein. Nur wird nicht jedes Kind bereits gelernt haben, mit solchen Situationen selbstbewusst umzugehen. Zieht sich das Kind dann zurück, sind Aufbauhilfe und Einfühlungsvermögen der Eltern und anderen Familienmitglieder gefragt.

Kritisch wird es, wenn das Kind meint, nicht mehr auf die Eltern hören zu müssen, weil es unbedingt zu einer Gruppe dazugehören möchte oder die Freunde jetzt alles besser wissen – oder beides. Fällt eine solche Situation mit einer mehr oder weniger ausgeprägten Trotzphase zusammen, wird das Ganze noch komplizierter, als es eh schon ist. Zwar sollen die Eltern in diesen Lebensabschnitten nicht auf Prinzipien herumreiten, doch darf auch nicht vergessen werden, dass es bei der Zöliakie nur wenig Spielraum gibt.

Bis zu ihrer Jugend- und Teenagerzeit sollten die Kinder verinnerlicht haben, um was es bei der Zöliakie geht und warum sie strikt glutenfrei leben müssen. Und dass sie zum Beispiel auch wegen der ersten großen Liebe nicht aus Scham oder Verlegenheit auf das wichtige – aber vielleicht als peinlich empfundene – Prüfen der Speisen verzichten oder sogar das Essen glutenhaltiger Gerichte billigend in Kauf nehmen. Jedem dürfte klar sein, dass auf die Frage „*Teilen wir uns eine Pizza?"* ein *„Nein, da ist Gluten drin!"* nicht unter die Top 10 der romantischen Dialoge fällt. Das ist der Zöliakie mit ihren Symptomen aber leider ziemlich egal.

Und damit bin ich wieder bei der Frage, wie die Eltern sichergehen können, dass ihr Kind außer Haus auch ganz sicher nur glutenfreie Dinge isst. Letztlich ist die Antwort einfach, für die Eltern aber vermutlich nicht zufriedenstellend: Sie können es hoffen, wissen können sie es nicht. Probleme in der Familie, mit Freund oder Freundin, in der Schule oder einem Verein sind nur einige Gründe, warum das Kind vom glutenfreien Leben abweicht. Wie gesehen, gibt es zahlreiche weitere Verlockungen, die einem Einhalten der glutenfreien Diät entgegenstehen können.

•••••

Die Gefahren zu erkennen und die Situationen zu meistern, ist für Kinder – und nicht wenige Jugendliche – oft mit Schwierigkeiten verbunden. Darum ist es ungemein wichtig, dass ein Kind seine Zöliakie so früh wie möglich akzeptiert. Auch muss es lernen, dass es nichts Besonderes ist, derjenige zu sein, dem eine Extrawurst gebraten wird – sondern zwingend notwendig. Allerdings müssen auch die Eltern und anderen Familienmitglieder die Zöliakie als Teil des Familienalltags akzeptieren, damit das Kind die volle Unterstützung erfährt und sich sicher fühlt.

Dabei ist es – wieder – wenig hilfreich, wenn sich nach dem Verzehr glutenhaltiger Speisen keine Beschwerden zeigen. In dem Fall ist die Gefahr groß, die Erkrankung beim Kind als *nicht so schlimm* oder gar überstanden zu erachten, was sich früher oder später mit sehr großer Wahrscheinlichkeit als großer Irrtum herausstellen wird.

Kommt es dann doch eines Tages zum Glutenunfall, hilft es wenig, dass sich die Eltern groß aufregen. Dem Kind geht es auch so schlecht genug. Jetzt das Offensichtliche zu betonen, ist wie das Schwingen der moralischen Keule wenig hilfreich. Den Dialog in Form eines *War-es-das-wert* zu suchen und die Dringlichkeit der glutenfreien Diät noch einmal zu erörtern, wird da zielführender sein. Immerhin hat man dank der unmittelbaren Beschwerden die überzeugenderen Argumente auf seiner Seite.

•••••

Wo ich gerade beim Lernen bin, greife ich noch einmal die Frage auf, ob es in einem gemischten Haushalt – also dem Haushalt mit glutenfreien und glutenhaltigen Lebensmitteln – nicht einfacher und besser ist, wenn alle in der Familie wegen des zöliakiebetroffenen Kindes auf glutenhaltige Produkte verzichten.

Dafür spricht der Schutz des Kindes. Wo keine glutenhaltigen Produkte sind und es gar nicht erst zu Kontaminationen kommen kann, ist die Sicherheit natürlich am größten. Doch das funktioniert nur, wenn gewährleistet ist, dass sich alle Familienmitglieder – wie auch alle Besucher – wirklich jederzeit an den strikt glutenfrei geführten Haushalt halten. Und das ausnahmslos, Tag für Tag und ohne eigene Notwendigkeit. Da kommen dann vielleicht doch erste Zweifel auf.

Gegen den rein glutenfreien Haushalt spricht, dass der Alltag des Kindes später auch nicht komplett glutenfrei sein wird und dafür gibt es kaum eine bessere Vorbereitung als einen gemischten Haushalt. Nur hier können die Eltern eine Umgebung schaffen, in der das Kind auf der einen Seite den eigenverantwortlichen Umgang mit der glutenfreien Diät erlernt und auf der anderen die Eltern aber jederzeit auch noch helfend eingreifen können.

Und was ist mit nichtbetroffenen Geschwistern? Bei denen gilt es aufzupassen, dass sie sich nicht in die zweite Reihe versetzt fühlen, weil sich bei jedem Essen alles ständig nur um den Bruder oder die

Schwester und die Zöliakie dreht. Eine solche Sichtweise oder Wahrnehmung der Situation ist durchaus verständlich und auch nachvollziehbar: andere Gerichte, anderer Kuchen, eigene Butter, eigenes Nussnougatcreme- oder Marmeladenglas. Ein gewisses Maß an Ungleichgewicht wird sich wegen der notwendigen verstärkten Achtsamkeit schwerlich vermeiden lassen, nur sollte dieses nicht so groß werden, dass nicht betroffene Geschwister eifersüchtig werden.

Das Malheur, die paar Krümel und die Extrawurst

Existiert bei meinen Einschätzungen und Bewertungen mit der *Glutenfrei-Ampel* eigentlich ein Spielraum in Bezug auf eine Gluten-kontamination, innerhalb dessen ich geschützt bleibe? Was passiert, wenn ein naturbelassener Fisch in derselben Pfanne gebraten wird, in der auch ein in Weizenmehl gewälzter liegt? Was, wenn mit demselben Löffel die glutenhaltigen und die glutenfreien Spaghetti umgerührt werden oder die glutenfreie Pasta nach der gluten-haltigen durch dasselbe Sieb abgegossen wird? Wenn mit dem-selben Messer glutenhaltige und glutenfreie Brötchen aufgeschnitten werden oder ein glutenfreies Brot ohne schützenden Toastabag in den Toaster gesteckt wird, in dem auch glutenhaltiges Brot getoastet wird? Was, wenn sich jemand sein glutenhaltig mariniertes Steak vom Grill nimmt und mir danach mit derselben Zange meine gluten-freie Bratwurst reicht?

Ich habe es bereits erwähnt: Ein ganz wesentlicher Faktor beim Le-ben ohne Gluten ist das persönliche Gefühl der Sicherheit und das dürfte, wenn ich Zeuge eines solchen Malheurs werde, mit großer Wahrscheinlichkeit weg sein.

Möchte ich also – wieder – auf Nummer sicher gehen und mir ein schlechtes Gefühl ersparen, werde ich die Spaghetti, den Fisch, die Bratwurst oder das Brötchen oder Brot nicht – mehr – essen. Und das völlig zurecht. Warum sollte ich unnötig ein Risiko eingehen?

Dabei ist auch unerheblich, ob das Risiko groß oder eher klein ist. Das Ausmaß der Kontamination kann ich schließlich nur vermuten. Fakt ist, dass ich nicht ausschließen kann, dass durch das Missge-schick eine Glutenmenge jenseits jeder Toleranz auf mein gluten-freies Essen übertragen wurde.

Und wie sieht es aus, wenn ich ein Malheur erst nach dem Essen entdecke? Darf ich dann zumindest hoffen, dass je nach Art des Missgeschicks nicht allzu viel passiert?

Das hängt ebenfalls von vielen Faktoren, erneut einigen Annahmen und Wahrscheinlichkeiten und vor allem einer guten Portion Glück ab. So kommt es etwa bei Nudeln darauf an, ob sie *al dente* gekocht oder in ihre Einzelteile zerkocht sind. Im Gegensatz zu den zerkochten zerfallen al dente gekochte Nudeln nicht, entsprechend finden sich auch am Rührlöffel oder im Abschüttsieb kaum Rückstände. Bei den zerkochten Nudeln ist die Frage, wie groß die Stückchen sind, die in die glutenfreien gelangen. Bleibt es bei ganz wenigen oder ganz kleinen, muss in den glutenfreien Nudeln nicht unbedingt ein kritischer Glutengehalt erreicht werden. Dabei spielt aber auch eine Rolle, wie groß zum Beispiel die Löcher im Abschüttsieb sind, in denen Nudelreste verbleiben können.

Gleichfalls müssen beim Schneiden eines glutenhaltigen Brotes keine Krümel am Messer klebenbleiben und auf das glutenfreie Brot gelangen. Oder es bleiben nur so wenige oder so kleine hängen, dass kein kritischer Glutengehalt erreicht wird. Das gilt ebenso für die Heizstäbe und Halter in einem Toaster. Und auch ein glutenfreies Brötchen ist nicht sofort hoch kontaminiert, nur weil es auf oder neben einem glutenhaltigen liegt.

Aber wie gesagt: Es bedarf einer guten Portion Glücks. Bei einem Stück Fisch oder Fleisch, dass in die Pfanne gelegt wird, in der zuvor ein in Weizenmehl gewälztes gebraten wurde, wird wohl alles Glück der Welt nicht ausreichen, dass es nicht zu einer Kontamination kommt. Hier brauche ich schon ein Wunder.

Nicht jedes Missgeschick hat also unweigerlich schwerwiegende Folgen für mich. Mit ganz viel Glück kann ich selbst nach einem zu spät entdeckten Malheur von einem Glutenunfall verschont bleiben. Sehr viel Spielraum hat das Glück allerdings nicht. Wenn jemand beim Grillen sein Fleisch mit einem Bier pilsener Brauart übergießt, kann ich die Bierspritzer auf meinem Fleisch als eher unproblematisch erachten, da der Glutengehalt im Bier und entsprechend auch in den Bierspritzern niedrig ist.

Ganz anders sieht es aus, wenn das Fleisch auf einem Teller gestapelt wird und die glutenhaltige Marinade eines Steaks jede darunter liegende Bratwurst kontaminiert. Oder irgendwer ein krümeliges Fladenbrot auf den Grillrost legt. Hier steigt die Wahrscheinlichkeit der Probleme verursachenden Kontamination in dem gleichen Maß, in dem die Wahrscheinlichkeit, dass es später nicht zu einem Glutenunfall kommt, dramatisch sinkt.

• • • • •

Möchte ich mich lieber nicht auf mein Glück verlassen, geht bei jedem Essengehen der Salat zurück, wenn am Tellerrand vier kleine Scheiben Baguette liegen und werden die Pommes frites nicht angenommen, wenn sie im Öl des panierten Schnitzels frittiert wurden. Natürlich geht auch in der Eisdiele oder am Eiswagen das mit einer glutenhaltigen Waffel verzierte Eis zurück. Am Buffet nehme ich mir nichts, wenn die Servierlöffel von einer Schüssel zur anderen wandern und das Stück vom selbstgebackenen Kirschkuchen lehne ich dankend ab, wenn beim Teigrühren der weizenmehlbelastete Handmixer zum Einsatz kam. Ebenso muss ich dem Grillmeister sagen, dass ich den Fisch oder die Bratwurst nicht essen kann, weil er leider die Grillschale vergessen hat.

Das klingt nach Pingeligkeit, Anstellerei und Extrawurst.

Und was wird passieren?

Das Nichtannehmen, Dankendablehnen oder Zurückgehenlassen wird bei denjenigen, die das Essen zubereitet haben oder bringen, mit hoher Wahrscheinlichkeit – und insbesondere in einem gastronomischen Betrieb – zu einem gewissen Unmut führen. Die Personen fühlen sich kritisiert oder gar angegriffen, wodurch in der Folge ein Konflikt meist unvermeidlich ist. Und dann kann man es oftmals hören: *„Ist das nicht übertrieben? Was für eine Anstellerei! Wegen der paar Krümel!? Was soll dabei denn passieren?"*

Jeder, der in der Welt der Zöliakie lebt, dürfte eine solche Bemerkung – oder einen solchen Spruch – in irgendeiner Form wohl schon einmal zu hören bekommen haben.

Ein Drama darf oder muss ich daraus nicht machen, sondern darüberstehen und von Anfang an lernen, locker damit umzugehen, wie es so schön heißt. Hier treffen zwei Welten aufeinander, die so überhaupt nicht kompatibel sind: Der Nichtbetroffene fragt sich, wie man sich so anstellen und der Zöliakiebetroffene, wie jemand so ignorant sein kann. In dieser Konstellation eine – vermutlich schnell hitzig werdende – Diskussion beginnen zu wollen, ist recht sinnlos und wird in den meisten Fällen wenig bringen.

Auch wenn ich es nicht gerne höre, fängt dieses Problem ebenfalls bei meiner eigenen Erwartungshaltung an.

Ich habe eine Zöliakie und du musst Rücksicht nehmen!

Nein, das ist nicht so.

Ich darf keineswegs erwarten, dass nichtbetroffene Mitmenschen die Problematik einer glutenbedingten Erkrankung samt deren Tragweite auf und für meinen Alltag verstehen. Oder dass sie sich in ihrer Situation – die ich nicht einschätzen kann – auch nur ansatzweise für meine Zöliakie zu interessieren haben.

Selbst wenn es in der jeweiligen Situation aus meiner Sicht wenig rücksichtsvoll sein mag, muss ich dennoch allen Nichtbetroffenen zugestehen, dass die Zöliakie nicht ihr Problem ist. Sie leben in ihrer normalen Welt und haben mit irgendwelchen schädlichen Glutenfraktionen nichts am Hut. Viele wissen vermutlich nicht einmal, dass es schädliche Glutenfraktionen gibt. So wie ich vor meiner Diagnose.

Ohne selbst eine Lebensmittelunverträglichkeit oder -allergie zu haben, kann sich keiner in meine Welt der Vorsichtsmaßnahmen und notwendigen Einschränkungen hineinversetzen und so ist es durchaus verständlich, dass jemand ein paar Krümel für eine unbedeutende Menge hält, bei der nichts passieren kann.

•••••

Wie groß dürfen diese paar Krümel denn sein? Welche Menge eines glutenhaltigen Lebensmittels ist wirklich so unbedeutend, dass ich sie essen kann, ohne schwerwiegende Probleme zu bekommen?

Nein, jetzt folgt natürlich nicht ernsthaft eine Risikoeinschätzung für irgendwelche glutenhaltigen Lebensmittel. Deren Glutengehalte liegen für mich – wie für jeden Zöliakiebetroffenen – grundsätzlich weit jenseits von Gut und Böse. Die folgenden Beispiele sollen lediglich verdeutlichen, ab welchen Mengen der Verzehr eines Lebensmittels aus oder mit einem glutenhaltigen Getreide für mich gesundheitsschädlich ist – mehr nicht.

Ohne jede Übertreibung ist das Weizenmehl das Produkt, das als *die* Grundzutat aller glutenhaltigen Lebensmittel bezeichnet werden kann. Nach den Daten der bereits erwähnten *»Analyse von Glutengehalten in Getreide und getreidehaltigen Produkten«* gehe ich davon aus, dass 1 Kilogramm Weizenmehl vom Typ 405 im Durchschnitt 86.600 Milligramm Gluten enthält. Nach ein wenig Rechnen weiß ich dann, dass – wiederum im Durchschnitt – in nur einem einzigen Gramm Weizenmehl schon 86,6 Milligramm Gluten stecken, …

1 kg = 1.000 g Weizenmehl	⇆	86.600,000 mg Gluten
1 g Weizenmehl	⇆	86,600 mg Gluten

… wodurch ich die als sicher eingestufte Glutenmenge von 5 Milligramm pro Tag bereits bei weniger als verzehrten 0,1 Gramm, die unter Vorbehalt täglich sicheren 10 Milligramm Gluten bei nur wenig mehr als 0,1 Gramm und den kritischen Glutengehalt bei weniger als 0,6 Gramm Weizenmehl erreiche beziehungsweise überschreite.

Weizenmehl Typ 405		Glutengehalt
1.000,000 Gramm Weizenmehl	⇆	86.600 Milligramm Gluten
0,012 Gramm Weizenmehl	⇆	1 Milligramm Gluten
0,058 Gramm Weizenmehl	⇆	5 Milligramm Gluten
0,115 Gramm Weizenmehl	⇆	10 Milligramm Gluten
0,577 Gramm Weizenmehl	⇆	50 Milligramm Gluten

Wie sieht es bei anderen glutenhaltigen Produkten aus? Damit es nicht zu kompliziert wird, rechne ich die Mengen auf Grundlage einer angestrebten Tagestoleranz von 10 Milligramm Gluten aus.

Die überschreitet ein Butterkeks, der fünf Gramm wiegt, um das gut 26-Fache, eine Scheibe Knäckebrot um mehr als das 50-Fache. Bei einer Scheibe Weizenmischbrot liegt der durchschnittliche Glutengehalt bereits im Grammbereich, im Mittel enthält sie 1,5 Gramm Gluten. Die höchsten Glutengehalte finden sich in Weißbrot, Brötchen und Hartweizennudeln, im Durchschnitt liegen sie um mehr als das 550-Fache über den angestrebten 10 Milligramm Gluten und somit um mehr als das Tausendfache über den sicheren 5 Milligramm Gluten pro Tag.

Und *die paar Krümel*, die so unbedeutend klein sind, dass bei deren Verzehr oder Abbekommen nichts passieren soll?

Deren Menge kann ich jetzt ausrechnen und zumindest als Mittelwert angeben: Mit etwas Glück sind es neben besagten 0,12 Gramm Weizenmehl gut 0,11 Gramm eines Brötchens, 0,19 Gramm von einem Butterkeks, 0,11 Gramm Hartweizennudeln, 0,28 Gramm eines Knäckebrots, 0,3 Gramm eines Roggenmischbrots oder 0,14 Gramm eines Toastbrots. Die Menge, bei der mich dann mein und wohl auch sonst jedes Glück der Welt mit größter Wahrscheinlichkeit verlässt, liegt bei 0,54 Gramm Brötchen, 0,95 Gramm Butterkeks, 0,55 Gramm Hartweizennudeln, 1,39 Gramm Knäckebrot, 0,3 Gramm von einem Roggenmischbrot, 1,52 Gramm Toastbrot oder 0,58 Gramm Weizenmehl.

Tagestoleranz	5 mg Gluten	10 mg Gluten	50 mg Gluten
Lebensmittel	⇅	⇅	⇅
Brötchen	ca. 0,05 g	ca. 0,11 g	ca. 0,54 g
Butterkeks	ca. 0,01 g	ca. 0,19 g	ca. 0,95 g
Hartweizennudeln	ca. 0,05 g	ca. 0,11 g	ca. 0,55 g
Knäckebrot	ca. 0,14 g	ca. 0,28 g	ca. 1,39 g
Roggenmischbrot	ca. 0,15 g	ca. 0,30 g	ca. 1,52 g
Weizenmehl	ca. 0,06 g	ca. 0,12 g	ca. 0,58 g
Weizenmischbrot	ca. 0,13 g	ca. 0,26 g	ca. 1,30 g
Weizentoastbrot	ca. 0,07 g	ca. 0,14 g	ca. 0,72 g

Schaue ich mir diese Zahlen an, wird klar, wo eines der Probleme beim Verständnis für das sichere Leben ohne Gluten liegt: Eine Tafel Schokolade wiegt in der Regel 100 Gramm, eine Scheibe Brot zwischen 40 und 60 und zu 50 Gramm Zucker oder 100 Gramm Mehl laufen im Kopfkino auch die passenden Bilder ab. Nur wer kann sich bitte 0,19 Gramm Butterkeks oder 0,11 Gramm Brötchen vorstellen?

Die Mengen, die für die mir möglichen – oder besser gesagt für die mich bereits schädigenden – Verzehrmengen stehen, bewegen sich in einer Größenordnung, die schlichtweg nicht vermittelbar ist. Am nächsten kommt vielleicht noch das Bild allerkleinster Bröckchen, Brosamen, Brösel, Brösmeli, Krumen oder Krümel. Eine Menge von 0,12 Gramm Weizenmehl ist auf einem Schneidebrett in einer Küche jedenfalls kaum mehr sichtbar.

Und wie soll ich dann eine solch winzige Menge in einer für mich zubereiteten Speise entdecken?

Meint oder sagt mir also jemand, dass bei *diesen paar Krümeln* doch nichts passieren könne, kann ich ihn fragen, ob er denn mit Sicherheit ausschließen kann, dass durch die paar Krümel nicht mehr als 0,11 Gramm Brötchen, 0,72 Gramm Toastbrot oder 0,12 Gramm Weizenmehl in mein Essen gelangt sind, weil bei mir ab diesen Mengen eine toxische Reaktion einsetzt.

Eine toxische Reaktion? Eine Vergiftung? Ja, in den Studien ist regelmäßig von einer »*gluten toxicity* ⇄ *Glutentoxizität*« die Rede und eine Toxizität bedeutet Giftigkeit. So weit hergeholt ist die Bezeichnung also nicht.

MERKE: *Das Essen von lediglich 0,06 Gramm Weizenmehl kann bei einem Zöliakiebetroffenen heftige Beschwerden auslösen, bei 0,6 Gramm Weizenmehl wird in der Regel die kritische Toleranzgrenze überschritten.*

• • • • •

Auch wenn ich nicht erwarten darf, dass Nichtbetroffene die Komplexität meiner glutenbedingten Erkrankung verstehen, darf ich auf jeden Fall erwarten, dass meine Problematik mit den Auswirkungen auf meinen Alltag zumindest akzeptiert wird.

Dann wird auch viel eher verstanden, warum ich eine Extrawurst will, grundsätzlich die Allergenkarte verlange und von jeder Beilage wissen muss, ob da Gluten drin ist. Ich muss der Ansteller und der Pingel sein, der einen Salat oder auch eine Bratwurst zurückgehen lässt, wenn eine Scheibe Brot beigelegt wird. Oder das Eis, in dem eine glutenhaltige Waffel steckt.

Das ist reiner Selbstschutz und in meinem sicheren Leben ohne Gluten ein nicht verhandelbarer Punkt. Ganz abgesehen davon, dass ich mich nun wirklich nicht für meine Autoimmunerkrankung rechtfertigen muss, habe ich gar keine andere Wahl, als in diesem Punkt konsequent zu bleiben.

Wenn jeder zumindest versteht, dass es beim sicheren Leben ohne Gluten ein *Ach-die-paar-Krümel* oder ein *Einmal-ist-keinmal* nicht gibt, wird sicher auch verstanden und akzeptiert, dass ich nicht aus Lust und Laune, sondern nur schweren Herzens auf den mit viel Aufwand gebackenen Kuchen verzichte, wenn ich eine Verunreinigung beim Backen nicht mit letzter Sicherheit ausschließen kann.

Wird dieser Grad des Verständnisses erreicht, dann macht auch niemand mehr irgendjemand anderem das Leben – ob gefühlt oder wirklich – unnötig schwer.

Die Risikobewertungen und die Annahmen

Jetzt, da ich auch die Mengen und Größenordnungen für die *unbedeutenden paar Krümel* in Zahlen fassen kann, schaue ich noch einmal auf die Annahmen, die ich in meine Risikobewertungen der Lebensmittel mit einfließen lasse. Auf sie muss ich zurückgreifen, da das Lebensmittelrecht – salopp gesagt – nicht mehr hergibt.

Nun kann man auf die Idee kommen und behaupten, dass meine Empfehlungen ja allesamt nur auf theoretischen Berechnungen der Glutengehalte beruhten. In der Praxis hingegen sei weder davon auszugehen, dass alle Lebensmittel die höchstmöglich erlaubte Glutenmenge enthalten, noch dass alle Produkte durchgängig kontaminiert sind. Das Ansetzen der Maximalwerte bei den Glutengehalten und Wahrscheinlichkeiten führe somit zu Einschränkungen, die im ohnehin schon von zahlreichen Entbehrungen geprägten glutenfreien Leben gar nicht nötig seien.

Der Einwand klingt zunächst einmal plausibel, ist allerdings ein voreiliger Schluss aus einem Teilaspekt. Da eine Wahrscheinlichkeitsrechnung nicht zu einem konkreten Ergebnis führt, kann ich in der Tat nicht mit absoluter Gewissheit sagen, dass ein Lebensmittel ohne eine ausgewiesene glutenhaltige Zutat mit 80 mg/kg Gluten kontaminiert ist. Oder dass ein glutenfreies Produkt mit glutenhaltiger Zutat ganz genau die erlaubten 20 mg/kg Gluten enthält. Und ja, die Absicherung der Glutengehalte in den Lebensmitteln mit den jeweils maximal erlaubten Werten bringt das Anraten des einen oder anderen Verzichtes mit sich, der vielleicht nicht notwendig ist.

Doch zu welchem Anteil soll der erlaubte Glutengehalt denn ausgeschöpft sein? Zu 10 Prozent, zu 40, 50, 75 oder 90 Prozent?

Damit aus den angenommenen Daten eindeutige Tatsachen werden – aus einer Vermutung also eine Gewissheit wird –, brauche ich neue und vor allem gesicherte Erkenntnisse über die Glutengehalte in den Lebensmitteln – sprich Nachweise. Doch die gibt es nicht. Solche Angaben werden derzeit weder im Lebensmittelrecht gefordert, noch von den Herstellern regelmäßig freiwillig gemacht.

UNd wie kann dann gesagt werden, dass eine Speise oder ein Getränk den maximal erlaubten Glutengehalt nicht enthält? Letztlich kann es zwar behauptet werden, aber auch das ist nicht mehr als eine Annahme – und zwar eine, die nicht einer gewissen Arglosig- oder Blauäugigkeit entbehrt. Es findet sich nämlich ebenfalls kein Beleg dafür, dass die Lebensmittel die Glutenmengen nicht enthalten.

Führe ich den Gedanken weiter, stelle ich fest, dass so gut wie jeder Sicherheitshinweis für die Haushalte sowie das Backen und Kochen eine reine Vorsichtsmaßnahme ist, die auf einer Vermutung basiert – also auf einer Annahme und Wahrscheinlichkeit ohne jedwede abschließende Gewissheit.

Wie bereits erwähnt, müssen nach dem Schneiden eines Roggenbrotes keine Krümel am Brotmesser hängenbleiben, auch nicht an den Heizstäben oder Haltern des Toasters nach dem Toasten eines Brotes. Beim Nutzen des Handmixers muss kein Mehlstaub aus den Öffnungen austreten, beim Kochen eine Hartweizennudel nicht auseinanderfallen. Und kontaminiert eine in die Sahne gesteckte Waffel gleich den kompletten Eisbecher? Wohl kaum.

In allen genannten Fällen steht dem wahrscheinlichen Auftreten einer Kontamination ein nicht minder wahrscheinliches Ausbleiben gegenüber. Gleich ist allen Fällen nur, dass ich das Vorliegen einer maximalen Glutenbelastung oder einer Kontamination nicht mit letzter Gewissheit und Sicherheit ausschließen kann.

Damit meine Risikobewertungen nicht verzerrt werden und ich alle Gefahren frühzeitig erkennen und abwehren kann, habe ich die Leit- und Richtlinien aufgestellt. Und nach denen spielen Annahmen und Vermutungen im sicheren Leben ohne Gluten nur dann eine Rolle, wenn sie zu meinem Schutz beitragen.

In den gerade gezeigten Fällen tun sie es eindeutig nicht und wenn ich etwas nicht weiß, kann ich es auch nicht sicher ausschließen. Und das ist der entscheidende Punkt: Meine *Glutenfrei-Ampel* zeigt mir die Dinge, wie sie sind – und die Dinge, die ich nicht sicher ausschließen kann. Alles andere ist nichts anderes als Wunschdenken.

MERKE: *Aus einer fehlenden Information über einen (maximal erlaubten) Glutengehalt kann nicht abgeleitet werden, dass kein (maximal erlaubter) Glutengehalt vorliegt. Bin ich mir nicht absolut sicher, dass ein Gericht definitiv glutenfrei ist, darf ich es ebenso definitiv nicht essen.*

Wenn es doch passiert – der Glutenunfall

Ablenkung oder fehlende Aufmerksamkeit, Bequemlichkeit, Missverständnisse, Fehleinschätzungen, das Übersehen einer Sache oder einfach eine falsche Entscheidung: Das sind nur einige Faktoren, die zu einem Fehler führen können. Passiert der Fehler in meinem Leben ohne Gluten und betrifft er etwas, was in mein Verdauungssystem gelangen kann, ist der Glutenunfall meist nicht fern. Kommen zu den genannten Aspekten Ignoranz oder Inkompetenz hinzu, enden sie fast immer mit einem Glutenunfall.

Mit Hilfe der *Glutenfrei-Ampel* kann ich zwar viele Fehler und Pannen oder Missgeschicke rechtzeitig aufdecken, aber leider nicht alle. Es gibt Fälle, in denen ich – vor allem beim Essen außer Haus – trotz aller Risikobewertungen absolut machtlos bin: Wird mir glaubhaft versichert, dass ein Gericht garantiert glutenfrei und ohne Kontaminationen zubereitet ist und besteht auch sonst kein Anlass, nicht auf die Versicherung zu vertrauen, habe ich keinerlei Chance, bei einem dennoch gemachten Fehler einem Glutenunfall zu entgehen.

Alles, was ich als Fehlerquelle ausgemacht und aufgeführt habe, kann natürlich jederzeit eintreten. Aber auch das hatte ich schon. Letztlich spielt es keine Rolle, warum es zu einem Fehler kommt und darum ist das Essen außer Haus immer auch eine Vertrauenssache mit einem Restrisiko.

• • • • •

Abgesehen von den Situationen, die stets jenseits meiner Kontrolle liegen, gibt es weitere Aktionen – oft aus einer inneren Einstellung heraus –, mit denen ich geradewegs und meist auch unvermeidbar auf einen Glutenunfall zusteuere: eine zu hohe Risikobereitschaft und Leichtsinn.

Sehe ich zum Beispiel in einem Restaurant, dass die glutenfreie Pizza an derselben Arbeitsstation zubereitet wird, an der auch die glutenhaltigen Pizzen gemacht werden, gehe ich ein viel zu hohes oder großes Risiko ein, wenn ich trotzdem eine Pizza bestelle, da es doch wenig wahrscheinlich ist, vom unvermeidlich aufgewirbelten Weizenmehlstaub nichts abzubekommen.

An Leichtsinn grenzt es, wenn ich von dem berühmten Schokokuss den mit Schokolade überzogenen Schaumzucker esse, weil ja nur die Waffel glutenhaltig ist. Oder wenn ich mir von einem Teller glutenhaltiger Nudeln die glutenfreien Fleischbällchen herauspicke oder von der glutenfreien Erdbeersahnecreme einer glutenhaltigen Cremetorte nasche. In solchen und ähnlichen Fällen darf ich mich natürlich nicht wundern, wenn etwas schiefgeht.

Die Gefahr einer erhöhten Risikobereitschaft besteht vor allem, wenn sich nach dem Verzehr – oder Abbekommen – selbst größerer Glutenmengen zunächst keine Beschwerden einstellen. Das Gefühl, dass nichts passiert, ist erst einmal ein gutes, aber es ist trügerisch und gefährlich. Es darf nicht vergessen werden, dass das Ausbleiben von Beschwerden keinesfalls heißt, dass nicht doch eine aggressive Autoimmunreaktion einsetzt und der Dünndarm geschädigt wird. Ich darf mich also nicht dazu verleiten lassen, die Gefahr als gering zu erachten oder sogar zu ignorieren.

ERINNERUNG: *Beschwerdefrei zu sein, heißt nicht symptomfrei zu sein.*

• • • • •

Ist der Glutenunfall da, gilt es das, was dazu geführt hat, herauszufinden, damit ich daraus etwas lerne. Dabei geht es nicht um eine Schuldzuweisung, sondern allein die Frage, wie ich eine Situation in Zukunft vermeiden kann. Ist der Fehler einer anderen Person zuzuschreiben, ist das bestimmt ärgerlich, jedes Streitgespräch über den Hinweis auf den Fehler hinaus aber sinnlos. Ist sich die Person ihres Fehlers bewusst, wird es ihr leidtun, ist die Person ignorant, es sie nicht weiter interessieren.

In vielen Fällen findet sich der Grund für einen Glutenunfall aber bei mir selbst.

Hat sich zu viel Routine eingeschlichen?

Habe ich etwas übersehen?

Habe ich nicht beharrlich genug nachgefragt?

Zu guter Letzt bleibt das einzig Gute an einem Glutenunfall, dass er zu einem wertvollen Baustein meines Erfahrungsschatzes wird.

Und was sind die Folgen eines Glutenunfalls? Nach Ansicht und Erfahrung der Mediziner tritt im Großen und Ganzen das ein, was vor der Diagnose auch eingetreten ist. Auch hier gibt es ein Aber: Das Auftreten anderer oder zusätzlicher Beschwerden wird wie ein veränderter Schweregrad nicht ausgeschlossen.

Recht hart kann es mich treffen, wenn ich vor dem Feststellen der Zöliakie mit wenig ausgeprägten Beschwerden oder auch gar nicht auf den Glutenverzehr reagiert habe. Es kann nämlich nicht ausgeschlossen werden, dass sich nach der Umstellung auf die glutenfreie Diät bei einem Glutenunfall jetzt doch auch spürbare Reaktionen des Körpers nebst heftigen Beschwerden einstellen. Wie diejenigen auf einen Glutenunfall reagieren, die seit frühstem Kindesalter mit einer Zöliakie leben, ist mangels eines Vorher-Nachher-Vergleichs freilich nicht vorhersagbar.

Um zwei Dinge muss ich mir indes bei einem Glutenunfall keine Sorgen machen: Zum einen verursacht eine einmalige und zeitlich begrenzte Glutenüberbelastung wohl keine derart schwerwiegenden Schäden, dass im Dünndarm sofort alle Darmzotten zerstört werden und der Nährstoffhaushalt vollständig aus den Fugen gerät oder zusammenbricht. Zum anderen ist bislang kein Fall dokumentiert, bei dem bei einem Zöliakiebetroffenen ein Glutenunfall akut lebensbedrohlich wurde, wie es bei einem anaphylaktischen Schock – der maximalen Überempfindlichkeitsreaktion des Immunsystems – der Fall sein kann. Dass auch das jetzt wieder kein Freibrief für ein unbedachtes Ausprobieren glutenhaltiger Lebensmittel ist, dürfte trotz der Gefahr des ständigen Wiederholens des Hinweises klar sein.

VORSICHT: *Bei Betroffenen einer Weizenallergie kann bis zu 6 Stunden – meist aber innerhalb einer halben Stunde bis 2 Stunden – nach dem Verzehr eines weizenhaltigen Produkts bei einer körperlichen Aktivität eine weizenabhängige, bewegungsinduzierte Anaphylaxie – kurz WDEIA – auftreten, die durch einen Arzt behandelt werden muss.*

Um die mit oder nach einem Glutenunfall auftretenden Beschwerden zu lindern, können einige Hausmittel helfen. Viel zu trinken ist nie verkehrt. Die begonnene Reaktion des Immunsystems wird dadurch nicht gestoppt, das Durchspülen kann die Attacke aber ein wenig abschwächen und vielleicht auch verkürzen. Zudem wird so zugleich einer Dehydratation – das ist der Verlust von Körperflüssigkeit und Austrocknen des Organismus durch eine negative Flüssigkeitsbilanz – vorgebeugt.

Neben reinem Wasser eignen sich hierfür Getränke wie Tees oder Brühen, die reich an Elektrolyten und Nährstoffen sind oder krampflösend wirken. Die Nährstoffe kann der Körper jetzt gut brauchen.

Die führe ich ihm auch zu, wenn ich Schonkost zu mir nehme – leicht verdauliche Krankenkost, die fettarm und schonend zubereitet wird und die den Magen-Darm-Trakt wenig belastet. Das Verdauungssystem wird es mir danken, wenn es gerade jetzt so wenig wie möglich arbeiten muss.

Lebensmittel für eine magenfreundliche Schonkost

- Gemüse: Möhren, Fenchel, Kürbis, Zucchini, Kohlrabi, Blumenkohl, Brokkoli, Erbsen, grüne Bohnen, Tomaten, grüner Salat, Kartoffeln
- (reifes) Obst: Äpfel, Birnen, Bananen, Beeren
- Getreide: Hirse, Reis
- Milch/Milchprodukte: fettarme Milch, fettarmer Joghurt, milder Käse
- Mageres Fleisch und magere Fleischware
- Magerer Fisch, Schalen und Krustentiere

Was der Körper jetzt zudem gut brauchen kann, sind viel Ruhe und noch mehr Schlaf, um sich zu erholen. Auch merkt man beim Schlafen keine Schmerzen, soweit man denn einschlafen kann.

Ebenso ist eine gute Portion Geduld gefragt, zum Teil recht viel Geduld. Es bringt gar nichts, wenn ich ständig auf die Uhr schaue und darauf warte, dass die Beschwerden endlich nachlassen. Je nach

Menge des verzehrten Glutens und Heftigkeit der Reaktion braucht es bei einem Zöliakiebetroffenen wenige Stunden, um sich zu erholen, bei anderen dagegen auch schon einmal mehrere Tage.

Ob die frei erhältlichen Mittel gegen Bauchschmerzen und Durchfall zur Linderung der Beschwerden verhelfen, lässt sich schwer sagen. Wer das genau wissen oder sogar zu einem Schmerzmittel greifen möchte, sollte – wie jedes Kind lernt – den Apotheker oder Arzt seines Vertrauens um Rat fragen. Ansonsten ist ein Arztbesuch nur dann notwendig, wenn die Symptome über einen – stets individuell gefühlten – längeren Zeitraum partout nicht abklingen.

●●●●●

Bei der Suche nach dem Auslöser eines Glutenunfalls kann ich übrigens auch mal daneben liegen. Stellen sich plötzlich Übelkeit mit Bauchschmerzen, Erbrechen und Durchfall ein, frage ich mich reflexartig, bei oder mit welchem Essen ich denn bitte Gluten oder zu viel Gluten abbekommen haben könnte.

Erst wenn mir auch nach langem Überlegen nichts einfällt, kommt langsam der Gedanke, dass es neben der Zöliakie auch noch so etwas wie einen Magen-Darm-Infekt oder eine Magen-Darm-Grippe gibt. Beide werden meist durch Bakterien oder Viren ausgelöst und zu den typischen Symptomen gehören unter anderem Übelkeit, Bauchschmerzen, Erbrechen und Durchfall.

Glutenfrei kochen, grillen und backen

War bislang vom Kochen und Backen die Rede, ging es vor allem um die Risiken bei der Zubereitung der Speisen und Getränke oder die für mich verbotenen Lebensmittel. Hier und jetzt geht es um das glutenfreie Kochen, Braten, Grillen und Backen selbst. Leider lassen sich glutenfreie Speisen nicht immer genauso wie glutenhaltige zubereiten und glutenfreie Backwaren fast nie wie die mit Weizenmehl.

Im Mittelpunkt stehen die Fragen, wodurch ich beim Kochen, Braten oder Grillen die glutenhaltigen Zutaten und beim Backen insbesondere das Weizenmehl in den *normalen* Rezepten ersetzen kann und wie sich die glutenfreien Mehle und Stärken beim Backen und Kochen generell einsetzen lassen.

$$\bullet \ \bullet \ \bullet \ \bullet \ \bullet$$

Am Anfang steht aber schon wieder eine gute Nachricht: Glutenfrei zu kochen ist nicht kompliziert. Im Gegenteil. Das glutenfreie Kochen unterscheidet sich nur wenig vom Kochen mit glutenhaltigen Produkten. Glutenfreie Nudeln werden zum Beispiel genauso gekocht wie glutenhaltige. Auch Kartoffeln, Hülsenfrüchte oder Reis kochen, Fisch oder Fleisch braten oder grillen, Meeresfrüchte zubereiten und Gemüse kochen oder blanchieren funktioniert wie das Salzen und Pfeffern oder Würzen alles gleich.

Nur wenn ich ein Mehl zum Andicken, Binden oder Mehlieren benötige, muss ich mich nach einer Alternative zum oft verwendeten Weizenmehl umschauen. Von den Alternativen gibt es aber glücklicherweise zahlreiche. Die meisten Gerichte kann ich also mit einfachen Anpassungen – sofern die überhaupt notwendig sind – weiterhin kochen.

Beim Kochen nach Rezept kann das Weizenmehl meist eins zu eins durch eine glutenfreie Mehlmischung oder durch Maisstärke ersetzt werden, beim Kochen ohne Rezept gilt es, ein wenig mit den glutenfreien Mehlen oder Stärken auszuprobieren. Da ich mir das Leben hier und da auch gerne einfach mache, habe ich mit einer Universal-Mehlmischung immer so etwas wie ein glutenfreies Allzweckmittel im Haus. Die Mischungen enthalten meist Mais- und Reismehl, Kartoffel- und Maisstärke sowie Verdickungsmittel, sind geschmacksneutral und lassen sich für sehr viele Gerichte verwenden.

Reine Mehle oder Stärken sind im Geschmack meist aromatischer und intensiver. Bei der Verwendung sollte ich also wissen, wie das spezielle Mehl schmeckt, damit es zum Gericht passt. Eine Spargelcremesuppe beispielsweise lässt sich sehr gut mit einem Kokosmehl andicken, was geschmacklich aber bestimmt mehr als nur gewöhnungsbedürftig ist.

Das Binden einer Soße zum Rindergulasch gelingt meist auch mit Reismehl oder Maisstärke und sogar ohne Mehl, wenn Zwiebeln und Karotten mitgeschmort werden, wodurch die Soße mehr oder weniger dickflüssig wird. Für das Mehlieren von Steak, Schnitzel, Fisch oder Gemüse eignet sich gut Kartoffel- oder Maisstärke, die auch Soßen und Mehlschwitzen bindet. Für eine Panade kann neben einem glutenfreiem Paniermehl zudem Maisgrieß verwendet werden. Da viele Paniermehle leider glutenfreie Weizenstärke enthalten, ist es vielleicht besser, das Paniermehl aus glutenfreiem Weißbrot selbst herzustellen.

Nicht nur zu asiatischen Gerichten passt Kokosmehl, die japanische traditionell weizenmehlhaltige Sojasauce ersetze ich durch eine indonesische oder koreanische Tamari- oder Teryakisauce.

Beim Würzen muss ich mich nicht auf Salz, Pfeffer, Knoblauch und Paprika beschränken, aber auf reine Gewürze. Auf Fixprodukte oder Gewürzmischungen verzichte ich vorsichtshalber.

Glutenfreie Nudeln werden zwar grundsätzlich genauso gekocht wie glutenhaltige, verhalten sich beim Kochen aber ein wenig anders. Beim Schütten ins kochende Wasser verklumpen sie leicht, bei einer zu langen Kochzeit zerfallen sie schnell und nach dem Kochen neigen sie dazu, hart zu werden und auszutrocknen. Um das zu verhindern, müssen die Nudeln nach dem Schütten ins Wasser sofort umgerührt, auf den Punkt gekocht und beim Aufbewahren mit einer Flüssigkeit – etwa Öl oder Soße – vollständig bedeckt werden.

Nicht helfen wird übrigens das Hinzugeben von irgendeinem Öl ins Kochwasser. Das ist bei glutenfreien und glutenhaltigen Nudeln reine Verschwendung. Öl ist leichter und weniger dicht als Wasser, schwimmt deshalb an dessen Oberfläche und kann sich nicht mit den Nudeln im Wasser verbinden.

•••••

Ebenfalls unkompliziert ist das Grillen, da Gemüse, Fisch, Meeresfrüchte, Steak, Kotelette und Bratwurst wie auch Ananas, Wassermelone oder anderes Obst immer gleich gegrillt werden.

In einigen Rezepten für Fisch- oder Fleischmarinaden soll Weizenmehl verwendet werden, was durch Reismehl, Maisstärke oder ein Universalmehl ersetzt oder auch einfach weggelassen werden kann. Auf fertig marinierte Produkte verzichte ich sicherheitshalber, zum einen, um jede Gefahr eines versteckten Glutengehalts zu vermeiden und zum anderen – auch wenn das nichts mit glutenfrei oder glutenhaltig zu tun hat – um die Qualität des Fischs oder Stücks Fleisch sehen zu können.

Nur der Vollständigkeit halber und zur Erinnerung sei an dieser Stelle nochmals erwähnt, dass wenn ich nicht auf meinem eigenen Grill grille, das Verwenden einer Grillschale – idealerweise aus Edelstahl, Keramik oder Emaille – mir den höchsten Schutz bietet.

•••••

Mit dem in der Regel einfach zu machenden Omelett und Pfann-
kuchen, der mit jeder Mehlmischung und insbesondere einem Buchweizenmehl gelingen sollte, komme ich zu den Teigwaren und zum
glutenfreien Backen. Besser oder passender gesagt zur hohen Kunst
des glutenfreien Backens, denn es ist eine Kunst für sich, die nicht
nur Hobby-Bäcker, sondern selbst so manch gestandenen Profi zur
schieren Verzweiflung bringen kann.

Sogar wenn ich mich ganz genau an ein Rezept halte, müssen Brot,
Brötchen, Waffeln, Kekse, Kuchen oder Boden für Pizza und Flamm-
kuchen noch lange nicht gelingen. Bis ich den Dreh einigermaßen
raus und zumindest etwas Spaß beim glutenfreien Backen hatte, sind
beim – bis heute anhaltenden – Ausprobieren und Lernen so einige
Teige und Backwaren nicht aufgegangen, in sich zusammengefallen,
fest geworden wie ein Stein oder zerbröselt wie Sand. Als ich dann
Backwaren kreierte, die zwar merkwürdig aussahen, aber immerhin
schmeckten, konnte ich die als erste Lernerfolge werten. Ich war auf
dem richtigen Weg.

Die Probleme fangen damit an, dass wenn ich beim Backen zu einem beliebigen glutenfreien Mehl greife, die Aussicht auf ein gelun-
genes Backergebnis eher gering ist, da sich die glutenfreien Mehle
und Mehlmischungen in der Regel anders verhalten als Weizen-,
Dinkel- oder Roggenmehle. Um in einem glutenfreien Teig deren
Backeigenschaften und Backfähigkeit zu erreichen, wird meist eine
Mischung aus Mehl oder Mehlen und Stärke, teils viel mehr Flüssigkeit und zusätzlich ein Bindemittel, oftmals ein Verdickungs- sowie
ein Quellmittel und zudem eine Lockerungshilfe benötigt.

Statt einer einzelnen Zutat brauche ich also vier bis sechs Zutaten
– und die für jeden Teig und jede Backware auch noch im richtigen
Mischungsverhältnis. Um das herauszufinden, geht das berühmte

Probieren über das Studieren. Liegt das Verhältnis bei einem Brotteig bei 3 zu 2 zu 1 – drei Teile Mehl zu zwei Teilen Stärke und einem Teil Verdickungs- und Bindemittel –, bei Kuchen bei 1 zu 2 zu 1 und Feingebäck bei 1 zu 3 zu 1, ist die Teigbasis zumindest nicht grundverkehrt. Zu der Mischung extra hinzu kommen die gegebenenfalls notwendigen Quellmittel und Lockerungshilfen.

Weiter gehen die Probleme damit, dass fertig zu kaufende Mehlmischungen nicht immer im gerade gewünschten oder benötigten Verhältnis zusammengestellt sind und außerdem die Verhältnisse nicht bei allen Teigen funktionieren. Leider können die vorgefertigten Allzweck-Mehlmischungen nicht für alles verwendet werden.

Eine Lösung für das Problem ist der Griff zu einer speziellen Mehl- oder Backmischung für Brot-, Gebäck-, Kuchen- oder Pizzateige. Die Mehlmischungen eignen sich in erster Linie als Weizenmehlersatz in einem Rezept, die Backmischungen enthalten in der Regel gleich alle benötigten Mehle, Stärken und Hilfsmittel.

Eine andere Lösung ist das Backen mit reinen Mehlen. Dafür muss ich mich aber genau an ein Rezept halten oder mich gut mit dem Geschmack und vor allem der Backeigenschaft des jeweiligen Mehls auskennen, außerdem mit dem Einsatz der Hilfsmittel zum Binden, Quellen oder Verdicken, um den ich dann meist nicht herumkomme.

Das ist schon eine kleine Wissenschaft für sich, immerhin gibt es mehr als fünfzig glutenfreie Mehle und Stärken sowie Hilfsstoffe aus den Getreiden Hirse oder Sorghum, Reis und Mais, den Pseudogetreiden wie Amarant, Buchweizen, Chia und Quinoa, aus Kartoffeln, Obstsorten sowie Knollen, Nüssen, Samen oder Hülsenfrüchten.

Buchweizenmehl zum Beispiel schmeckt nussig, Maismehl süßlich und Erdmandelmehl nach Mandeln. Weitere Geschmacksgeber sind Fasern aus Äpfeln, Kartoffeln oder Traubenkernen, die außerdem gut für das Binden von Flüssigkeiten, eine längere Frischhaltung und als Farbgeber eingesetzt werden können.

Die Teiggrundlage ist oftmals ein Reismehl, da es die Backwaren feucht hält. Als Lockerungshilfe dient recht häufig Kartoffelmehl beziehungsweise -stärke.

Als Quell- und Verdickungs- oder Geliermittel besonders geeignet sind Guarkernmehl und Johannisbrotkernmehl – beides sind Naturprodukte mit E-Nummer für Zusatzstoffe, worauf ich im nächsten Kapitel eingehe – sowie Chia- und Flohsamenschalen beziehungsweise Psyllium. Zur guten Eignung als Quellmittel trägt bei, dass keines der Produkte einen ausgeprägten Eigengeschmack hat. Recht häufig verwendet werden Flohsamenschalen. Sie haben nicht nur eine gute Wasserbindung, sondern verbessern auch die Konsistenz und Frischhaltung eines Teiges. Letztgenannte Eigenschaften bieten, in kleinen Mengen beigemischt, auch die Mehle aus Hülsenfrüchten oder Sojamehl.

Eine gut bindende Wirkung hat auch Pfeilwurzelmehl, was sich außerdem als Ersatz für Eier eignet. Das Bindemittel der glutenfreien Backkunst schlechthin ist allerdings Xanthan. Es gilt als natürliches Quell-, Verdickungs-, Füll- und Geliermittel mit einer sehr guten Wasserbindungsfähigkeit, wird als Zusatzstoff mit E-Nummer aber aus zuckerhaltigen Substraten hergestellt. Bei Brot-, Pizza- und Hefegebäckteigen sollte auf eine Tasse glutenfreies Mehl ein Teelöffel, für Kuchen ein halber Löffel und für Mürbegebäck ein Viertellöffel Xanthan ausreichen, damit der Teig geschmeidig und weich wird und formstabil bleibt.

Regelmäßig kommt es vor, dass glutenhaltige Mehle und Stärken Flüssigkeiten beim Teiganrühren nicht so schnell aufnehmen, dafür aber nachquellen. Hier und da muss ich also geduldig sein und den Mehlen einfach etwas Zeit lassen. Ebenso gehört zum Ausprobieren, dass die meisten Mehle und Stärken nicht nur *eine* benötigte und gewünschte Eigenschaft haben oder die Eigenschaften sich beim Mischen verändern, was auch nicht immer hilfreich ist. Zu guter Letzt sollte ich wissen, dass vor allem die Hilfsmittel aus einem Zusatzstoff mit E-Nummer als Ballaststoffe meist schlecht oder nicht verdaulich sind, was zu Problemen bei der Verdauung führen kann.

Glutenfreie Mehle, Stärken und Hilfsmittel zum Kochen und Backen

- Agar Agar (1,2)
- Bananenmehl
- Canihuamehl
- Chiamehl
- Erdmandelmehl (M,R)
- Flohsamenschalen (1,2,5)
- Hanfmehl
- Hirsemehl (H,R)
- Kartoffelmehl/-stärke (1,4,5)
- Kichererbsenmehl
- Kokosmehl
- Leinsamen (1,2)
- Lupinenmehl
- Maismehl (H,M,R,N)
- Mandelmehl (R)
- Marantamehl
- Mohnmehl
- Mungbohnenmehl (N)
- Pektin (Geliermittel, 5)
- Pistazienmehl
- Quinoamehl (H,M)
- Rote-Linsen-Mehl (N)
- Sojabohnenmehl (N)
- Sorghummehl (H,M,R)
- Süßkartoffelmehl (H,M,R)
- Teffmehl (M,R)
- Walnussmehl

- Amarantmehl (H,M)
- Buchweizenmehl (H,R)
- Cashewnussmehl
- Chiasamen (1,2)
- Erdnussmehl
- Guarkernmehl (1,2,3)
- Haselnussmehl
- Johannisbrotkernmehl (1,2,3)
- Kastanienmehl
- Kochbananenmehl
- Kürbiskernmehl
- Leinsamenmehl
- Macadamiamehl
- Maisstärke = Speisestärke (1,4,5)
- Maniokmehl (1,4,5)
- Maronenmehl
- Montinamehl
- Pekanussmehl
- Pfeilwurzmehl/-wurzelstärke (1,4,5)
- Psyllium = Flohsamenschalen (1,2,5)
- Reismehl (M,R)
- Sesammehl
- Sonnenblumenkernmehl
- Speisestärke = Maisstärke (1,4,5)
- Tapiokamehl/-stärke (1,4,5)
- Traubenkernmehl
- Xanthan (1,2,3)

Gängige Verwendungen:
(1) Bindemittel, (2) Verdickungsmittel, (3) Quellmittel, (4) Struktur, (5) Saftigkeit
(H) Hefeteig, (M) Mürbeteig, (R) Rührteig, (N) Nudelteig

Auch das gehört
zum glutenfreien Leben

Speisen, Getränke, Kontaminationen – das sind die Kernelemente, um die sich im Leben ohne Gluten alles dreht. In der Welt der Zöliakie gibt es aber noch andere Punkte und Aspekte, die ich wissen sollte oder bedenken muss.

So verbanne ich mit meiner Ernährungsweise nicht einfach nur sämtliche glutenhaltigen Lebensmittel von meinem Speiseplan, die glutenhaltigen Lebensmittel haben ganz andere Inhalts- und damit auch andere Nährstoffe als die glutenfreien Lebensmittel, weshalb sich meine – neue – Diät unter Umständen auch in anderen Aspekten auf meinen Gesundheitszustand auswirkt.

Ein anderer Aspekt betrifft meinen Geldbeutel, denn die eigens glutenfrei hergestellten Produkte sind in Supermärkten teurer und von kleinen Handwerksbetrieben deutlich teurer als vergleichbare glutenhaltige Lebensmittel. Zu guter Letzt frage ich mich, woher ich Neuigkeiten und Informationen für mein glutenfreies Leben beziehe und ob eine Mitgliedschaft bei einer Zöliakiegesellschaft für mich sinnvoll oder sogar Voraussetzung für das Leben ohne Gluten ist.

Glutenfrei gleich gesund – ein Missverständnis

Schaue ich mir an, was ich als Zöliakiebetroffener alles für mein Leben ohne Gluten wissen muss, ist es wenig überraschend, dass der Zusammenhang zwischen meiner Gesundheit und meinem gluten-freien Leben nicht jedem klar ist. Einige Mitmenschen meinen, wer eine Zöliakie oder Glutenintoleranz habe, ernähre sich ausschließ-lich von glutenfreien Lebensmitteln und lebe deshalb gesund. Das ist so nicht ganz richtig. Wegen der Zöliakie ernähre ich mich zwar glutenfrei, damit mein Leben beschwerde- und symptomfrei verläuft, gesund bin und lebe ich damit aber allein in Bezug auf meine Autoimmunerkrankung.

Allgemein gesehen hat eine glutenfreie Ernährung mit einem gesunden Leben erst einmal nicht allzu viel gemein. Es kann sogar das Gegenteil eintreten, da ich bei meiner glutenfreien Ernährung ganz speziell alle Vollkornprodukte weglasse. Dadurch ist es allerdings möglich, dass es zu einem Defizit an B- und E-Vitaminen sowie Spurenelementen oder Mineralstoffen wie Eisen, Folsäure, Kalium oder Magnesium kommt.

Wie bei jeder Ernährungsweise gilt es dementsprechend auch bei der glutenfreien Diät, sich ausgewogen und vollwertig zu ernähren. Dazu tragen insbesondere viele der eigens glutenfrei hergestellten Produkte leider nur recht wenig bei. Wie im Kapitel zuvor gesehen, fehlen den Zutaten der glutenfreien Lebensmittel häufig die aus herstellungstechnischer Sicht gewünschten und benötigten glutentypischen Eigenschaften, was regelmäßig durch die Zugabe von Binde-, Verdickungs- oder Backtriebmitteln ausgeglichen wird. Agar-Agar, Eipulver, Fasern, Fette, Guarkernmehl, Gummi arabicum, Johannisbrotkernmehl, Milchpulver, Sirup, Süßstoffe, Xanthan oder Zucker sind einige dieser Ersatz- und Hilfsstoffe, wobei Agar-Agar auch als E 406 geführt wird, Johannisbrotkernmehl als E 410, Guarkernmehl als E 412, Gummi arabicum als E 414 oder Xanthan als E 415. Es handelt sich folglich um Lebensmittelzusatzstoffe.

Damit ich nicht falsch verstanden werde: Gegen die Verwendung dieser oder anderer Zusatzstoffe gibt es nichts einzuwenden. Jeder Zusatzstoff mit E-Nummer ist grundsätzlich gesundheitlich unbedenklich, steht als nährwertarmer Füllstoff nur nicht gerade für eine gesunde oder gesündere Ernährung. Für die vielen Zuckerzusätze in den glutenfreien Produkten gilt das ebenso.

Ein Beispiel: Ein klassisches Landbrot enthält neben Weizen- und Roggenmehl noch Wasser, Sauerteig, Salz und Hefe. Ein glutenfreies enthält – nach beliebig ausgesuchter Rezeptur – Maisstärke, Wasser, Sauerteig, Buchweizenmehl, Reismehl, Leinsamen, Flohsamen, Reisstärke, Zuckersirup, Sonnenblumenkerne, Verdickungsmittel, Sojaprotein, Hefe, Salz, Sonnenblumenöl, Hirsemehl, Chiasamen, Apfelfasern und Zucker. Und welche Zutat im glutenfreien Landbrot soll jetzt *gesünder* sein?

Die verallgemeinerte Behauptung, glutenfreie Lebensmittel hätten generell etwas mit der Eigenschaft *gesund* zu tun, ist also allein deshalb schon nicht haltbar, weil die glutenfreien Produkte an sich nicht immer gesund sind. Jedes Lebensmittel, ob glutenfrei oder nicht, kann nur dann gesund sein, wenn es auch ausschließlich aus gesunden Zutaten hergestellt wird.

Dennoch behaupten die Autoren einiger Bücher wie die Verfasser einiger Beiträge in den neuen Medien, die glutenfreie Ernährung sei gesünder als eine glutenhaltige. Jeder könne alleine mit ihr seine Gesundheit verbessern und diversen Erkrankungen vorbeugen. Bei einer glutenfreien Diät sei zum Beispiel der Blutzuckerspiegel stabiler, die Versorgung mit Nährstoffen besser und andere Autoimmunerkrankungen würden mit einer viel geringeren Wahrscheinlichkeit auftreten. Ebenfalls sollen altersbedingte Entzündungsprozesse ausbleiben. Man nehme automatisch ab oder habe sein Gewicht besser im Griff.

Die Auflistung ist wirklich beeindruckend. Da klingt eine glutenfreie Diät in der Tat wie ein lang ersehntes Wunderheilmittel – und wie bei allen angepriesenen Wunderheilmitteln ist sie das selbstverständlich nicht. Eine allgemeine Gleichung *Glutenfrei-gleich-gesünder* geht nicht auf.

Ohne jetzt alle Bücher und Beiträge über einen Kamm zu scheren, geht der Zusammenhang zwischen den positiven gesundheitlichen

Eigenschaften und der glutenfreien Diät regelmäßig auf den Umkehrschluss der These zurück, dass glutenhaltige Lebensmittel und insbesondere Weizenprodukte grundsätzlich ungesund seien.

Das Schema ist fast immer dasselbe: Als erstes wird in einem solchen Buch oder Beitrag erwähnt, dass Stoffe im Weizen – genannt werden meist als schädlich eingestufte Kohlenhydrate oder Zuckeralkohole – für das Auftreten von etlichen Krankheiten verantwortlich seien. Dafür werden dann Studien angeführt und zitiert, die die Schädlichkeit belegen sollen, sich bei einer Überprüfung aber als aus dem Zusammenhang gerissene und nicht zu verallgemeinernde Einzelaspekte erweisen. Zum Schluss wird die Empfehlung ausgesprochen, auf glutenhaltige Getreide und speziell Weizenprodukte zu verzichten. Hier und da nebenbei und in vielen Beiträgen gar nicht erwähnt wird, dass sich die Sensitivität bei den als Beleg angeführten Patienten nicht spezifisch nachweisen lässt.

Nun habe ich ausführlich erörtert, was Gluten ist und wann der Verzehr glutenhaltiger Lebensmittel einen Menschen krankmachen kann. Auf eine weitere Erkrankung, die sich gesichert auf auslösende Glutenproteine zurückführen lässt, bin ich dabei nicht gestoßen. Das deckt sich mit der Tatsache, dass die Menschen regelmäßig mit dem Verzehr glutenhaltiger Lebensmittel – nach dem aktuellen Stand der Forschung – keinerlei Probleme haben. Folglich geht die Gleichung *Glutenhaltig-gleich-ungesund* ebenfalls nicht auf.

Heißt das, dass eine negative Wirkung der Glutenproteine bei den Menschen, bei denen keine Zöliakie und auch keine andere glutenbedingte Erkrankung diagnostiziert wurde, gänzlich ausgeschlossen werden kann? Warum behaupten einige dann, dass sie sich mit einer glutenfreien Ernährung besser fühlen?

Was passiert ungeachtet einer glutenbedingten Erkrankung bei einem Menschen ohne erbliche Vorbelastung – also ohne Vererbung der die Immunreaktion mitauslösenden Antigene –, wenn mit dem Verzehr eines glutenhaltigen Lebensmittels die Glutenproteine auf die Bakterien und Enzyme im Dünndarm treffen?

Ein kleines Gedankenspiel: Rein hypothetisch nehme ich einmal an, die schlecht verdaulichen Glutenproteinketten würden bei allen Menschen im Darmtrakt eine Immunreaktion auslösen. Dass Glutenpeptide über mehrere Stunden unverdaut im Dünndarm verbleiben können, weiß ich inzwischen. In der Medizin ist zudem bekannt, dass bestimmte Peptidsequenzen eine verstärkte Darmdurchlässigkeit bedingen – ebenfalls bei allen Menschen. Aber ist es möglich, dass die Glutenpeptide in bestimmten Konstellationen – etwa einer gestörten Darmflora – auch ohne die HLA-DQ-Antigene an andere Zellen andocken oder Zellen binden?

Nehme ich jetzt auch noch an, die Glutenpeptide selbst oder durch sie neu entstandene Zellen könnten die Darmbarriere überwinden und so in den Blutkreislauf gelangen, würden sie über das Blut Orte und Stellen im Körper erreichen, an denen sie nichts zu suchen haben und könnten dort Gewebe, Nerven oder Körperzellen angreifen. Das Immunsystem würde sie daran natürlich hindern wollen und deshalb bekämpfen, was wiederum eine Abfolge von Immunantworten auslösen würde, die zu Entzündungen führt und weitere Krankheiten auslöst.

Wie gesagt, ein Gedankenspiel. Ob das eine wirklich zum anderen passt und ineinandergreift, lässt sich nach dem heutigen Wissensstand nicht abschließend beantworten.

Allerdings sind die Annahmen des Gedankenspiels nicht gänzlich aus der Luft gegriffen, solche Zusammenhänge sind in der Medizin als Rückschlüsse zu Abläufen von Erkrankungen in einzelnen Fällen mit unklarem Gesamtbild dokumentiert. Und vielleicht handelt es sich dabei um den einen Vorgang oder die Vorgänge, die in Zukunft eine Glutensensitivität, ein Reizdarmsyndrom oder eine andere, bislang noch unerklärliche oder unentdeckte Erkrankung erklären können. Vielleicht.

Wer sich weiter in diese Thematik nebst Problematik vertiefen möchte, dem seien – unter anderem – die Arbeiten und Studien von Alessio Fasano und Karen M. Lammers in den einschlägigen Publikationen zur Gastroenterologie wärmstens empfohlen.

Wenn also jemand behauptet, sich auch ohne eine glutenbedingte Erkrankung mit einer glutenfreien Ernährung besser zu fühlen, gibt es keinen Grund, dies anzuzweifeln, sondern einige Gründe, warum dem so sein kann.

• • • • •

Pauschal lassen sich die glutenfreie und eine gesunde Ernährung also nicht zusammenbringen oder sogar gleichsetzen. Der Gesundheitswert eines Lebensmittels hängt bei den glutenfreien und glutenhaltigen Produkten gleichermaßen von den jeweils enthaltenen Zutaten ab. Sich nur glutenfrei zu ernähren, reicht nicht aus, um sich auch gesund zu ernähren. Dafür muss die Ernährung ausgewogen und vor allem vollwertig sein.

Jetzt soll aber nicht geklärt werden, was unter einer ausgewogenen und vollwertigen Ernährung zu verstehen ist. Schon gar nicht werde ich eine allgemeingültige Ernährungsempfehlung abgeben. Das ist ein anderes kontrovers diskutiertes Thema, zu dem es haufenweise Literatur gibt.

Und ganz ehrlich: Bei all den widersprüchlichen Ratschlägen und Empfehlungen weiß ich doch gar nicht mehr, was ich noch essen soll oder darf. Bei genauerer Betrachtung stellt sich mir die Frage, wie Menschen mit gänzlich unterschiedlichen Lebensstilen überhaupt mit einem einzigen Ernährungsplan oder -modell ernährungstechnisch unter einen Hut gebracht werden sollen. Der eine arbeitet tagsüber im Büro und verbringt seine Abende am liebsten auf dem Sofa, ein anderer arbeitet körperlich schwer und geht nach der Arbeit noch gern zum Sport. Ohne entsprechende Anpassungen der Bewegungs- und Essgewohnheiten dürften die meisten Ernährungspläne wohl sinnlos sein, zudem gesundheitliche Aspekte, Traditionen, ethische oder religiöse Motive sowie Lifestyle- und Ernährungstrends bei der bevorzugten oder gewählten Ernährungsform ebenso eine wichtige Rolle spielen.

Insgesamt gesehen dürfte es also auch bei der vollwertigen Ernährung so sein, dass das, was dem einem Mitmenschen zu empfehlen ist, noch lange nicht für einen anderen empfehlenswert sein muss.

An dieser Stelle möchte ich überhaupt nicht bestreiten oder diskutieren, dass Lebensmittel je nach ihren Bestandteilen unterschiedlich auf unsere Gesundheit und unser Wohlbefinden wirken. Wenn jemand beim Essen mehr auf Proteine als auf Fette achtet, Energie- und Mikronährstoffdichten oder Eiweiß- und Kohlenhydratwerte nebst Kaloriengehalten zählt, mag das – wie das mengenmäßige Reduzieren oder komplette Weglassen von bestimmten Produkten – bei der einen oder anderen gewichtsreduzierenden oder leistungssteigernden Diät von Bedeutung sein, für meine glutenfreie Diät spielt es aber nur eine untergeordnete Rolle.

Einer Empfehlung möchte ich mich dann aber doch anschließen: Schon für Sebastian Anton Kneipp – er war Naturheilkundler und ist Namensgeber der Kneipp-Medizin – sollen für eine bewusste Ernährung die Speisen frisch, vollwertig und nahrhaft sein.

„Lass das Natürliche so natürlich wie möglich. Die Zubereitung der Speisen soll einfach und ungekünstelt sein. Je näher sie dem Zustande kommen, in welchem sie von der Natur geboten werden, desto gesünder sind sie."

Dieser Ratschlag Kneipps aus der zweiten Hälfte des 19. Jahrhunderts gibt das wieder, was bis heute allgemein und bei den meisten Vertretern – oder Verfechtern – der jeweiligen Ernährungskonzepte unbestritten gilt: Je weniger ein Lebensmittel verarbeitet wird, desto mehr gewünschte Nährstoffe enthält und desto gesünder ist es. Über die Frage, welche Lebensmittel vollwertig und nahrhaft sind, gehen die Meinungen dann wieder auseinander.

Das teure glutenfreie Leben

Zum Leben ohne Gluten gehört auch etwas, was mir anfangs überhaupt nicht in den Sinn kam: höhere und teils deutlich höhere Preise für die glutenfreien Lebensmittel beim Einkaufen.

Die Preisunterschiede zu den vergleichbaren glutenhaltigen Produkten liegen von *etwas teurer* bis hin zu *über alle Maßen teurer*. Die Gründe dafür sind vielfältig, aber nicht alle auf den ersten Blick nachvollziehbar. So ist zum Beispiel nicht unbedingt verständlich, warum eine Packung Spaghetti aus Hartweizengrieß ab 40 Eurocent erhältlich ist, während für die glutenfreien Spaghetti mindestens das Fünffache zu bezahlen ist. 100 Gramm Salzgebäck aus Weizenmehl kosten gut 0,25 Euro, das glutenfreie Salzgebäck pro 100 Gramm aber 1,60 Euro. Glutenfreie Butterkekse sind vier Mal so teuer wie glutenhaltige, der als glutenfrei verkaufte Hafer ist doppelt so teuer wie der normale. Ein glutenfreies Landbrot erreicht gar einen Kilopreis von über 13,00 Euro, während ein herkömmliches aus Weizenmehl bereits für lediglich gut 2,00 Euro zu bekommen ist.

Ein Grund für die Preisunterschiede sind die Mehrkosten, die den Herstellern von glutenfreien Produkten durch die speziellen Zutaten und den höheren Aufwand bei der Produktion entstehen. Sollen zum Beispiel Backwaren sicher glutenfrei sein, dürfen Brote, Brötchen und Gebäck nur in speziell eingerichteten Backstuben gebacken und müssen die glutenfreien Zutaten in garantiert kontaminationsfreien Lieferketten zur Backstube geliefert werden.

Ein weiterer Zusatzkosten verursachender Punkt sind die höheren Preise der Grundzutaten sowie die Kosten der zusätzlich benötigten Zutaten und Hilfsstoffe in den glutenfreien Produkten. Da das Weizenmehl nicht durch ein einzelnes glutenfreies Mehl – das schon für sich genommen teurer ist – ersetzt werden kann, werden für die Lebensmittel deutlich mehr Zutaten benötigt und mehrere Zutaten kosten nun einmal mehr als das preiswerte Weizenmehl.

Ein anderer Punkt sind die Kontrollen für die Produkte, die zahlreicher und aufwändiger sind. Neben den Nachweisen aus den Gesetzen zu Lebensmittelsicherheit und Hygiene – die für alle Lebensmittel gelten – muss für jedes Produkt ein labortechnischer Nachweis der Glutenfreiheit nach den Vorgaben der Verordnungen vorliegen, gegebenenfalls die Zertifizierung des Produkts durch eine Zöliakiegesellschaft bezahlt werden.

Alle diese Punkte machen den Herstellungsprozess komplizierter, zeit- und letztlich kostenintensiver. Hinzu kommt, dass aufgrund des insgesamt gesehen eher kleinen Marktes für glutenfreie Produkte mit einer geringeren Gesamtnachfrage entsprechend kleinere Mengen produziert werden. Es gibt also durchaus berechtigte Gründe, warum die glutenfreien Produkte teurer sind als die in der Regel in Massen hergestellten glutenhaltigen.

1.000 Gramm	GH	GF		1.000 Gramm	GH	GF
Butterkeks	2,50 €	10,60 €		Landbrot	2,00 €	13,00 €
Haferflocken	2,60 €	5,60 €		Salzgebäck	2,50 €	16,00 €
Hörnchen	6,30 €	17,30 €		Spaghetti	0,80 €	4,00 €
Knäckebrot	6,00 €	16,20 €		Vollkorntoast	1,99 €	5,50 €

Jetzt anzunehmen, die höheren Preise dienten nur der Abdeckung der genannten Kosten, wäre freilich blauäugig. Die Hersteller geben grundsätzlich alle Kosten an die Verkäufer weiter und die wiederum an ihre zöliakiebetroffenen oder aus sonstigen Gründen an glutenfreien Produkten interessierten Kunden. Zudem möchten Hersteller und Verkäufer den einen oder anderen Eurocent verdienen. Dementsprechend spielen bei einigen Preisen Mitnahmeeffekte und Gewinnmaximierungen ebenso eine Rolle. Heutzutage muss der angestrebte *Return on Invest* – die Kapital- oder Investitionsrendite – nun mal so schnell und so hoch wie möglich ausfallen.

Eine andere Frage ist, ob ich für den höheren Preis auch ein höherwertigeres Lebensmittel erhalte. In der Regel ist das nicht so, wie ich bereits am Beispiel des glutenfreien Landbrotes gesehen habe, wobei es natürlich auch höherwertige Produkte gibt, etwa wenn Nudeln aus dem Mehl von Gemüse oder Hülsenfrüchten, Brot aus speziellem Reismehl oder Buchweizenmehl, Muffins aus Mandeln oder Makronen aus Kokosraspeln, aber ohne Füll- und künstliche Zusatzstoffe hergestellt werden. Solche Lebensmittel kennzeichnen sich im Vergleich zu den Varianten aus Weizenmehl tatsächlich durch hochwertigere Zutaten aus, was einen höheren Preis rechtfertigt.

Generell steigt und fällt das Verhältnis zwischen Preis und Wertigkeit eines Lebensmittels bei glutenhaltigen und glutenfreien Produkten also gleichermaßen.

Insgesamt entspannt sich die preisliche Situation nach und nach ein wenig. Das ist sicherlich auch dem Einstieg der Supermarktketten und Discounter in den Glutenfrei-Markt zu verdanken, wodurch zum Beispiel glutenfreie Nudeln und Brote zu Kilopreisen von vier bis sechs Euro erhältlich sind. Ob in naher Zukunft mit Preissenkungen zu rechnen ist, lässt sich nur schwer vorhersagen. Aus heutiger Sicht sprechen die Anzeichen nicht unbedingt dafür, da der Markt für die glutenfreien Lebensmittel mit seiner verhältnismäßig kleinen Zielgruppe vermutlich auch in Zukunft überschaubar und begrenzt sein wird. Das zeigt sich auch daran, dass die eine Supermarktkette ihr Produktangebot erweitert, während eine andere erste glutenfreie Produkte aus ihrem Sortiment wieder auslistet.

So werde ich wohl weiterhin einige Mehrkosten für die Lebensmittel meiner glutenfreien Diät einplanen müssen, die je nach bevorzugten Produkten und Mengen pro Monat um die 100 Euro liegen.

Eine generelle finanzielle Entlastung von staatlicher Seite oder seitens der Krankenkassen gibt es im deutschsprachigen Raum in der Regel nicht. In Deutschland ist ein Zuschuss in der Grundsicherung nach Sozialgesetzbuch vorgesehen, bei der Einkommenssteuer kann über den bei einer Zöliakie anerkannten Grad der Behinderung ein Pauschbetrag geltend gemacht werden. Auch in Österreich können die Mehrkosten steuerlich zumindest pauschal angesetzt werden, in der Schweiz gibt es Entlastungen als Härtefallregelungen, die pro Kanton bewertet werden.

Informiert bleiben

Grundsätzlich über die Zöliakie und glutenfreie Diät informiert zu sein, ist für mich äußerst wichtig, aber auch über Neuerungen und Entwicklungen in der Welt der Zöliakie möchte ich gerne auf dem Laufenden bleiben. Speziell suche ich immer wieder ganz konkrete Informationen, wie eine genauere oder fehlende Angabe zu einem Produkt, Rezepte und Anleitungen für Zubereitungen, Hinweise über neue glutenfreie Produkte, die Produktverfügbarkeit in Online-Shops und Geschäften oder auch Tipps für Cafés, Restaurants und Hotels als Ausflugs- und Reiseziele.

Wege und Mittel, um an die Informationen zu gelangen, sind bei der Vielzahl der heute zur Verfügung stehenden Kontaktmöglichkeiten und Informationskanäle zur Genüge vorhanden. Zumindest in der Theorie. In der Praxis sieht es dann wie so oft im Leben etwas anders aus, da ich trotz der zahlreichen Möglichkeiten einige Informationen nur für eine Gegenleistung und einige überhaupt nicht erhalte. Und wegen der zahlreichen Möglichkeiten darf ich auch nicht jeder Information trauen und jede ungeprüft übernehmen.

Warum sind nicht alle Informationen frei verfügbar? Nach dem *Gabler Wirtschaftslexikon* in der Onlineausgabe von 2018 kann eine Information als ein *„immaterielles Gut"* bezeichnet werden. Das ist so etwas wie ein Vermögensgegenstand, der nicht greif- oder anfassbar ist, was nichts anderes heißt, als dass die Information für denjenigen, der über sie verfügt, einen gewissen Wert oder Nutzen hat. Folglich wird die Information nicht ohne Gegenleistung oder nur mit einer bestimmten Absicht herausgegeben.

Um diese Absicht zu erkennen, muss ich hier und da ein wenig um die Ecke denken: Ein Hersteller oder Händler möchte mit einer Information in erster Linie seine Kunden zum Kauf von Produkten anregen. Eine Zöliakiegesellschaft möchte vor allem Zöliakiebetroffene informieren, aber auch neue Mitglieder werben und alte nicht verlieren sowie die lebensmittelproduzierenden und gastronomischen Betriebe vom Abschluss eines Lizenzvertrags überzeugen. Und die Informationen auf so mancher Webseite oder in den *Social Media* oder sozialen Medien sowie sozialen Netzwerken können nichts anderes als nett verpacktes Füllmaterial sein, mit dem der Betreiber davon ablenkt, dass er in Wirklichkeit nur auf Werbeeinnahmen oder Vergünstigungen und Geschenke der Hersteller und Händler hofft.

Erst einmal verwehrt bleiben mir die Informationen, die nur gegen die angesprochene Gegenleistung freigegeben oder geliefert werden. Für mich bedeutet das, dass ich für eine Information zuvor etwas leisten oder bezahlen muss. Das kann auf einer Webseite das – auch erzwungene – Anschauen von Werbung sein, aber ebenso die Preisgabe meiner persönlichen Daten, die dann kommerziell verwertet werden. Oder natürlich eine Geldzahlung, wie etwa beim Kauf einer Zeitung, eines einzelnen Artikels im Internet, eines Abonnements oder beim Abschluss einer beitragspflichtigen Mitgliedschaft. Ob die erworbene Information den Preis wert ist, weiß ich in der Regel erst nach dem Erwerb.

Eine andere Frage ist, ob ich jeder Information trauen kann. Das hängt von der Zuverlässigkeit der Quelle ab – und wiederum der Absicht hinter der Information. Immerhin können Informationen unvollständig, verfälscht oder sogar falsch sein. Deshalb ist es nicht verkehrt, wenn ich gleich bei der Suche möglichst viele Fehlerfaktoren ausschließe.

Dafür frage ich eine Auskunft zum Beispiel zu einem Glutengehalt in einem Lebensmittel oder den Hilfs- und Füllstoffen eines Arzneimittels, zum sicheren Ausschluss oder möglichen Vorliegen einer Kontamination oder einem nicht meldepflichtigen Glutenvorkommen in einem Produkt am besten immer direkt beim Hersteller an.

Ziert sich ein Hersteller, eine Information herauszugeben, können mir meist die Händler weiterhelfen, die von den Herstellern in der Regel für die Produkte ein Datenblatt mit Hinweisen zu Zutaten, Inhalts- und Hilfsstoffen erhalten.

Je nach Produkt kann ich die Information auch bei einer Zöliakiegesellschaft anfragen. Die Gesellschaften verfügen zumindest für alle von ihnen zertifizierten Lebensmittel über einen Laborbericht zum Glutengehalt und über die ihnen als glutenfrei gemeldeten Produkte über genaue Hinweise. Der Haken an der Sache ist, dass – wie schon erwähnt – die Informationen zu den glutenfreien Produkten den beitragszahlenden Mitgliedern vorbehalten sind, sodass jemand, der zöliakiebetroffen, aber kein Mitglied ist, die Information regelmäßig nicht erhält. Und damit bin ich wieder bei der beschränkten Verfügbarkeit der Informationen angelangt.

Für die Suche nach Informationen bietet sich natürlich ebenfalls wieder das Internet an. Es erlaubt mir zu jeder Zeit und an fast jedem Ort einen bequemen Zugang zu den Informationen – sofern diese frei verfügbar sind – und ermöglicht mir außerdem einen aktiven Austausch mit anderen Nutzern.

Speziell die sozialen Medien und Netzwerke eignen sich hervorragend, um Gleichgesinnte – sprich andere Zöliakiebetroffene oder Angehörige von Betroffenen oder sonst am glutenfreien Leben interessierten Personen – zum Austausch von Rezepten oder Tipps beim Backen und Kochen oder für ein persönliches Treffen zu finden. Hier bin ich richtig bei der Suche nach einer Antwort auf die Frage, ob es neue glutenfreie Produkte oder in welchem Geschäft oder Online-Shop es gerade Sonderangebote gibt, wo ich in einer Stadt frisches glutenfreies Brot kaufen und wo Kuchen, Pizza oder Burger essen kann, wer welche Erfahrungen in einem anderen Land gemacht hat, wie eine glutenfreie Lasagne am besten gelingt oder durch welche Zutat ich die gerade fehlenden Flohsamenschalen für meinen Brotteig ersetzen kann.

Geht es hingegen um eine Information, die die Sicherheit in meinem glutenfreien Leben mit Zöliakie betrifft oder gar eine medizinische Frage, sind die sozialen Medien und Netzwerke jenseits jeden direkten Kontakts zu einem Arzt oder Ernährungsberater als Informationsquelle völlig ungeeignet. Zugegeben, der Weg ist bequem, die Verlockung groß. Und ein Forum, eine Gruppe oder eine Plattform mit vielleicht tausenden Teilnehmern oder Mitgliedern bietet mir doch bestimmt – wie eine kollektive Intelligenz – einen riesig großen Erfahrungsschatz.

Doch was bei der Frage nach Brot, Kuchen, Pizza, Burgern, gelungener Lasagne und ersetzter Zutat im Brotteig oder der Suche nach Gleichgesinnten und Stammtischtreffen gut funktioniert, ist bei jeder Frage, mit deren Antwort ein Risiko eingeschätzt werden soll – etwa

Fragen mit direktem Bezug zu Glutengehalten oder zum Essen von Produkten –, mit größter Vorsicht zu genießen.

- *Esst ihr Eis in der Eisdiele oder vom Eiswagen?*
- *Trinkt ihr Bier mit Gerstenmalz?*
- *Darf ich das Frühstücksmüsli mit glutenfreien Haferflocken essen?*
- *Geht ihr in Restaurants, die keine Allergenkarte haben?*
- *Soll ich Brot mit glutenhaltiger Weizenstärke kaufen?*
- *Lasst ihr euer Kind in der Schulmensa essen?*
- *Kauft ihr Produkte mit Spurenhinweis für Gluten?*

All das sind Beispiele für Fragen, auf die ich bestimmt mehr als eine Antwort oder einen gut gemeinten Ratschlag erhalte. Doch sind die Ratschläge wirklich gut? Nach wie vor gilt die Richtlinie für die *Glutenfrei-Ampel*: Was für einen Zöliakiebetroffenen gilt, gilt für einen anderen noch lange nicht.

Das bedeutet, dass kein Ratschlag gut ist, der über den Hinweis hinausgeht, dass eine solche Frage immer nur nach Bewertung der jeweiligen Situation und bei Berücksichtigung aller Umstände beantwortet werden kann. Das heißt nicht, dass sich unter den Ratschlägen nicht der eine oder andere interessante Denkansatz findet, der sich auf die eigenen Bedürfnisse anpassen lässt. Oder dass ich mich auf keinen Fall in einer Gruppe, einem Chat oder Forum mit anderen austauschen darf. Die Frage ist aber, ob die stets eigenen Anforderungen und Auswirkungen meiner Zöliakie mit konsensbasierten Empfehlungen kompatibel sein können. Es sind also wieder einmal einige Aspekte zu beachten.

Suche ich im Internet nach einer Information, muss ich mir darüber im Klaren sein, dass jeder – also jede Person auf der Welt – eine Webseite, einen Blog oder in den sozialen Netzwerken ein Forum oder eine Gruppe anlegen und dort an Inhalten verbreiten kann, was er will. Zwar im Rahmen der Gesetze – zumindest im Rahmen der

Gesetze desjenigen Landes, in dem die Webseite oder das Internet-angebot registriert ist – und vielleicht den Vorgaben des Anbieters, aber ohne einer inhaltlichen Kontrolle zu unterliegen. Vor allem in Zeiten von salonfähig gemachten *alternativen Wahrheiten* und *Fake-news* ist es deshalb immer gut zu wissen, warum jemand etwas ver-öffentlicht und woher eine Information stammt.

In Bezug auf die Qualität der Informationen muss ich beachten, dass viele Beiträge in den Foren und Gruppen der sozialen Medien und Netzwerke zwar auf den gemachten Erfahrungen der schreiben-den Teilnehmer basieren, andere aber auf gehörten oder angelesenen Informationen Dritter, die meist interpretiert oder bewertet weiter-gegeben werden. Hinzu kommen die Informationen, die hauptsäch-lich den Interessen des Betreibers oder Initiators dienen.

Zu guter Letzt halten sich in den Foren und Gruppen nicht nur Zöliakiebetroffene oder indirekt betroffene Personen wie etwa Ange-hörige auf, sondern ebenso die schon erwähnten *am glutenfreien Leben interessierten Personen*, die eine selbstdiagnostizierte und damit wohl-möglich gar keine glutenbedingte Erkrankung haben. Dann basieren die Beiträge letztlich auf einem Hörensagen.

Kritisch wird es, wenn ein Beitrag anstatt auf Fakten auf einer *Ich-mache-das-immer-so-Sichtweise* eines selbsternannten Meinungs- und Wortführers in einem Forum beruht, dessen Richtigkeit durch ein *Mir-ist-noch-nie-etwas-passiert* belegt wird. Noch problematischer ist, wenn aus dem *Ich-mache-das-immer-so* des Einzelnen ein *Wir-machen-das-immer-so* einer Gruppe oder eines Forums wird. Dieses *Wir* ergibt sich aus einer Schwarmintelligenz, bei der ein Standpunkt umso rich-tiger sein soll, je mehr der scheinbar wichtigen Teilnehmer und Wort-führer ihn teilen. Der Ratschlag oder die Empfehlung entsteht also aus einer fehlgeleiteten Entscheidungsfindung einer Gemeinschaft und so passiert es dann, dass zum Beispiel für die Lebensmittel ohne eine ausgewiesene glutenhaltige Zutat eine Weisheit wie „*Wo nichts draufsteht, ist nichts drin*" oder „*Den Spurenhinweis kannst du ignorieren*" kundgetan und zum unumstößlichen *Das-ist-so* erklärt wird.

Diese *Empfehlungen* sind ein schönes Beispiel für die eben angesprochene Blauäugigkeit. Hergeleitet wird die Empfehlung aus der derzeit fehlenden gesetzlichen Regelung für die Spurenhinweise, ignoriert – oder nicht gewusst – wird, dass das Fehlen einer Glutenkennzeichnung nicht bedeutet, dass das Produkt frei von Gluten sein muss. Das *wo nichts draufsteht, nichts drin* ist, ist eine Annahme – eine, die nicht belegt werden kann.

Auch wenn solche Hinweise und Beiträge nachweislich inhaltlich hanebüchener Unsinn und eine Verneinung von Fakten sind, ist den Schreibern nicht unbedingt ein Vorwurf zu machen. Sie leben vermutlich seit Jahren getreu ihrer Ratschläge und ihnen ist wirklich noch nie etwas passiert. Nur auf den Gedanken, dass ihre Ansicht nicht allgemeingültig ist und es sich bei anderen Zöliakiebetroffenen ganz anders verhält, darauf kommen sie nicht. Geht die Umsetzung ihres Ratschlags dann schief, heißt es nur lapidar: „*Ach, das habe ich ja noch nie gehört, da hast du aber Pech*".

> **MERKE:** *Was für einen Zöliakiebetroffenen gilt, gilt für einen anderen noch lange nicht. Einzelne Gegebenheiten können wie Gegebenheiten von Einzelnen nicht übertragen werden!*

Warum diese Probleme in den Chaträumen, Gruppen und Foren der sozialen Medien auftreten, wird durch die Eigendynamik und Funktionsweise des Internets mit seinen Fallstricken bücherweise erklärt. Das Haschen nach Aufmerksamkeit, die Zustimmung scheinbar wichtiger Wortführer und Funktionsträger wie die persönliche Bestätigung durch Gefällt-mir-Bewertungen und die Selbstdarstellung einzelner Personen ist in meinem Buch jedoch kein Thema.

Festzuhalten ist, dass ich auch beim Erhalten, Lesen und Umsetzen von Informationen – ganz gleich, aus welcher Quelle sie stammen – nicht aus meiner Verantwortung der eigenen gewissenhaften Überprüfung entlassen werde.

Zöliakiegesellschaften und das Leben ohne Gluten

Deutlich einfacher ist die Bewertung der Informationen von den Zöliakiegesellschaften. Auch die darf ich freilich nicht sorglos übernehmen, generell ist aber von Vorteil, dass eine Information vor der Veröffentlichung von den Mitarbeitern der jeweiligen Gesellschaft regelmäßig geprüft und redaktionell aufbereitet wird. Ebenso regelmäßig wird aber auch nur die Sichtweise der Zöliakiegesellschaft vermittelt.

So steht ja zum Beispiel noch die Frage im Raum, wie es sein kann, dass eine Zöliakiegesellschaft eine Empfehlung ausspricht, die nicht für alle Betroffenen einer Zöliakie sicher ist oder warum verschiedene Zöliakiegesellschaften auch unterschiedliche und sogar widersprüchliche Ratschläge geben.

Hierfür muss ich zunächst schauen, wie die Zöliakiegesellschaften jeweils aufgestellt sind und arbeiten. Die meisten sind Wohltätigkeitsorganisationen oder gemeinnützige Einrichtungen beziehungsweise Vereine mit einem ehrenamtlichen Vorstand, angestellten Mitarbeitern sowie einem wissenschaftlichen oder medizinischen Beirat aus Fachärzten und anderen Experten im Hintergrund. Finanziert werden die Zöliakiegesellschaften in der Regel aus den Beiträgen der Mitglieder, durch Spenden von Förderern sowie den Einnahmen aus ihren Dienstleistungen. Dabei handelt es sich vor allem um die Zertifizierung glutenfreier Produkte oder lebensmittelherstellender und gastronomischer Betriebe, aber auch um Workshops, Schulungen, Kurse oder Seminare.

Dass jeder Zöliakiebetroffene anders auf eine bestimmte Glutenmenge reagiert, ist den Vorständen und Beiräten selbstverständlich bekannt. Sie müssen sich aber entscheiden, ob sie ihre Leitlinien und Empfehlungen an Mittelwerten beziehungsweise einem Mittelweg ausrichten, was eine angenommene Mehrheit ihrer Mitglieder und aller anderen Zöliakiebetroffenen schützt, oder an den Minimalwerten, die sicherer sind und auch diejenigen schützen, die bereits auf geringste Glutenmengen reagieren. Alle Zöliakiebetroffene deren jeweiligen Anforderungen und Bedürfnissen entsprechend gleichermaßen zu unterstützen, wäre der Idealzustand, das gelingt aber nur wenigen Zöliakiegesellschaften.

Bei den Lesarten und Auswertungen der Studien aus der Medizin und Biochemie oder den Sozialwissenschaften kommt hinzu, dass nicht jeder Arzt auch Forscher und nicht jeder Forscher auch Arzt ist und Ärzte wie Forscher nicht immer derselben Meinung sind. Zudem ist die Forschung in den Ländern anders gewichtet oder ausgestattet und dadurch teils auch auf einem anderen Stand.

In der Summe aller Aspekte führt das zu den angesprochenen verschiedenen Bewertungen und letztlich den unterschiedlichen Empfehlungen, wodurch es dann vorkommt, dass eine Zöliakiegesellschaft eine Empfehlung ausspricht, die sich für mich als zumindest fraglich herausstellt. Meist ist das immer dann der Fall, wenn in einer Empfehlung von dem eigentümlich definierten Personenkreis *der überwiegenden Mehrheit* oder *den meisten Betroffenen einer Zöliakie* die Rede ist.

Das sind natürlich nicht die einzigen Punkte, die entscheidend dafür sind, wie eine Zöliakiegesellschaft ihre Informationen formuliert oder Empfehlungen ausrichtet. Immerhin ist beim Leben ohne Gluten in der Hauptsache von Lebensmitteln die Rede und somit von einem zig Billiarden Euro umsetzenden Markt, auf dem im großen

Rahmen mächtige Verbände sehr große Unternehmen und noch größere Konzerne vertreten und deren Interessen durchsetzen. Das geschieht, indem unter anderem die Lobbyisten der Verbände – sprich die Interessenvertreter – Einfluss auf zum Beispiel die Mitglieder der Codex-Alimentarius-Kommission oder die Verfasser der EU-Verordnungen nehmen. Ihr Ziel ist es, einen Begriff oder Grenzwert so zu definieren und festzulegen, dass genügend Spielraum für Auslegungen und Auslassungen bleibt, damit ihre Auftraggeber – die Lebensmittel herstellenden Konzerne – ihre Produkte gewinnbringend auf dem Markt anbieten können.

Hier versuchen auch die Zöliakiegesellschaften – in der Regel über die Dachverbände wie die erwähnte *Association of European Coeliac Societies* der europäischen Zöliakiegesellschaften – mitzumischen. Deren Vertreter bemühen sich darum, möglichst keine Spielräume für Auslegungen und Auslassungen einzuräumen, damit eindeutige Verordnungen verfasst werden und es bei Grenzwerten, Hinweisen oder Kennzeichnungen nicht zu Widersprüchen kommt.

Aber auch im kleinen Rahmen gibt es Einflussnahmen. So wird beispielsweise kein Landwirt den Aufwand auf sich nehmen, kontaminationsfreien Hafer anzubauen, wenn er nicht vorab die feste Zusage eines Abnehmers erhalten hat. Der sorgt seinerseits dafür, dass der Markt für den glutenfreien Hafer geöffnet wird.

Prekärer wird es, die Interessen und Informationen sauber zu trennen, wenn ein Hersteller glutenfreier Produkte auch Förderer einer Zöliakiegesellschaft oder Sponsor ihrer Veranstaltungen und Publikationen ist. In diesen Fällen droht immer die Gefahr einer Einflussnahme und letztlich eines Interessenkonflikts.

Sollte ich als Zöliakiebetroffener Mitglied bei einer Zöliakiegesellschaft werden? Oder muss ich sogar Mitglied werden, damit mein Leben ohne Gluten funktioniert? Obwohl die meisten Gesellschaften neben einem umfangreichen Informationsmaterial auch viele hilfreiche Leistungen anbieten, sind das die nächsten Fragen, die sich nicht auf die Schnelle oder pauschal mit Ja oder Nein beantworten lassen.

Fakt ist, dass kein Betroffener Mitglied werden muss. Das sicher glutenfreie Leben mit Zöliakie funktioniert auch ohne Mitgliedschaft bei einer Zöliakiegesellschaft sehr gut.

Natürlich spricht nichts gegen eine Mitgliedschaft, wenn ich mich gut beraten und gut informiert fühle oder am Leistungsangebot teilhaben möchte. Neben den Veröffentlichungen über die glutenbedingten Erkrankungen und die glutenfreie Diät dürfte – vor allem für Neubetroffene – die Beantwortung von Fragen durch Ärzte oder Ernährungsberater interessant sein. Seminare, Back- und Kochkurse – teils gegen Gebühr – nebst Rezeptideen, eine Mitgliederzeitschrift, Mitgliedertreffen und regionale Veranstaltungen sowie Angebote für Kinder, Jugendliche oder Familien runden das Leistungsangebot ab. Hinzu kommen die schon des Öfteren erwähnten Verzeichnisse mit zertifizierten oder glutenfrei gemeldeten Produkten.

Möchte ich unbedingt nach diesen Listen und Verzeichnissen einkaufen, komme ich um eine Mitgliedschaft nicht herum, da sie ja – wie bereits mehrfach erwähnt – in der Regel nicht öffentlich zugänglich sind.

Ansonsten sollte ich Mitglied werden, wenn ich meine Interessen durch die Arbeit und Tätigkeiten der Zöliakiegesellschaft insgesamt zufriedenstellend vertreten sehe.

Naheliegend ist, dass ich dementsprechend wenig Freude an und Nutzen von einer Mitgliedschaft haben werde, wenn ich meine Interessen nicht genügend vertreten sehe oder die Informationen und angebotenen Leistungen sowie die Listen und Aufstellungen der glutenfreien Lebensmittel und Produkte für mein Leben ohne Gluten nicht benötige.

Möchte ich die Arbeit einer Zöliakiegesellschaft einmalig oder immer einmal wieder finanziell unterstützen, wird von den meisten Gesellschaften die Möglichkeit einer Spende angeboten.

Für alle, die weitere Informationen suchen, habe ich die Adressen der Webseiten der Zöliakiegesellschaften im deutschen Sprachraum und in den Nachbarländern in den Anhängen aufgeführt.

Der Mensch, der krank ist und sich behandeln lassen will,
muss auch bereit sein, seine Lebensweise zu ändern.

Hippokrates von Kos

Willkommen im
Leben ohne Gluten

Im ersten Kapitel des Buchs steht meine Behauptung, das Einhalten der glutenfreien Diät bedürfe ein wenig logischen Denkens und ein wenig mehr konsequenten Lassens und Tuns. Darüber hinaus habe ich behauptet, dass sich ein sicher glutenfreies Leben mit Zöliakie und eine hohe Lebensqualität nicht ausschließen würden. Und? Ist es so? Es ist so!

Natürlich ist ein Leben ohne Gluten mit Vorsichtsmaßnahmen und deshalb unvermeidbar auch mit Einschränkungen verbunden, doch als großes Ganzes betrachtet sind die Restriktionen weniger weitreichend, wie noch kurz nach der Diagnose zu befürchten war. Die größte Beschränkung der Lebensqualität ist das Problem, nicht mehr einfach so überall etwas essen zu können. Ein Grund für das Problem ist der Umstand, dass mir das Lebensmittelrecht aktuell nur einen Grundschutz für mein glutenfreies Leben bietet.

Mit meiner *Glutenfrei-Ampel* und dank der Risikobewertungen erhöht sich die Sicherheit beim Essengehen deutlich, auch wenn ein Restrisiko besteht. Dass sich die Sicherheit im Leben ohne Gluten mit der *Glutenfrei-Ampel* deutlich erhöht, liegt an der in jeder Situation automatisch ablaufenden Risikoeinschätzung. In Sekunden erfasse ich Ausgangslage, Randbedingungen und mögliche Fehlerquellen und bewerte die Gesamtsituation. Das hilft mir beim Treffen der richtigen Entscheidungen und erleichtert meinen glutenfreien Alltag erheblich, da ich versteckte Glutengehalte dadurch entdecken und absichern sowie den ungewollten Verzehr kritischer Glutenmengen so gut wie möglich vermeiden kann.

Das gute Gefühl der Sicherheit färbt auf mein gesamtes Leben ohne Gluten ab und beeinflusst meine Grundeinstellung zur Zöliakie

positiv. Man kann es sich als Dominoeffekt vorstellen: Die Risikoeinschätzung führt zu einem guten Gefühl in Bezug auf die Sicherheit, das positive Sicherheitsgefühl zu einer positiven Grundeinstellung zum Leben ohne Gluten und die beeinflusst und überwiegt die
von mir empfundene Einschränkung in der Lebensqualität.

Damit stark verbunden ist meine Erwartungshaltung. Geht das
Akzeptieren meiner Zöliakie samt den Konsequenzen mit der grundsätzlichen Akzeptanz einher, nicht mehr einfach überall etwas essen
zu können, ist die Enttäuschung deutlich geringer, wenn der Fall eintritt und ich in der Tat einmal etwas nicht essen kann. Heute weiß
ich, dass meine Enttäuschung immer so groß sein wird, wie es vorher
meine Erwartungshaltung war.

!!	⇆	!!
!! !!	⇆	!! !!
!! !! !!	⇆	!! !! !!
!! !! !! !!	⇆	!! !! !! !!
Erwartungshaltung		**Enttäuschung**

Ein weiteres Kriterium, das die empfundene Lebensqualität stark
beeinflusst, ist das wirkliche oder gefühlte Fehlen von Alternativen.
Denn auch wenn die Tatsache, nicht in jedem Schnellrestaurant oder
Imbiss essen gehen zu dürfen, als Einschränkung der Lebensqualität
empfunden wird, sieht und wertet die ein 50-jähriger Zöliakiebetroffener, der sich sowieso nicht viel aus Fastfood macht, ganz anders als
ein 15-jähriger, dessen Freunde ständig Burger, Gyros, Döner oder
Sandwiches essen.

Aber auch der 15-jährige wird die Einschränkung nicht als solche
empfinden, wenn seine Freunde bereit sind, mit ihm in einen der Lä-
den zu gehen, in dem ihm ein anderes leckeres Essen sicher glutenfrei angeboten und er somit vom Erlebnis des gemeinsamen Essengehens nicht ausgeschlossen wird.

Wer gern – oder lieber – selber kocht, wird überrascht, aber auch erfreut sein, dass doch deutlich mehr Lebensmittel auf der Erlaubt-, als auf der Verboten-Liste stehen. In der Summe ergibt sich nicht nur aus der Anzahl der Lebensmittel ohne Gluten eine große Vielfalt, zu den meisten klassisch glutenhaltigen Produkten wird mittlerweile auch mindestens eine glutenfreie Alternative angeboten. Die ist vielleicht nicht in jedem Ort oder in jedem Geschäft verfügbar, will hier und da also gefunden werden, und ist vermutlich auch nicht immer preiswert, aber es gibt sie.

Wer gerne backt, wird dagegen schnell feststellen, dass die Welt des Backens ohne Gluten eine andere und eigene ist. Davon können alle, die das erste Mal ein Brot oder einen Kuchen ohne ein Weizenmehl – also ohne das beim Backen helfende Klebereiweiß – backen wollten oder mussten, ein Lied singen. Hier lautet die gute Nachricht, dass das glutenfreie Backen vielleicht nicht leicht zu erlernen, aber auch kein Hexenwerk ist. Versuch macht klug und Übung halt den Meister.

Das führt mich zum nächsten Aspekt der Lebensqualität: dem persönlichen Geschmacksempfinden. *De gustibus non est disputandum. Über Geschmack lässt sich nicht streiten.* Auch ohne Streit wird kaum jemand bestreiten, dass es glutenfreie Produkte gibt, die megatrocken sind, im besseren Fall fade und langweilig oder nach nichts und im schlechteren sogar richtig fies schmecken. Nun sind langweilig, fade und fies schmeckend keine typischen Merkmale für glutenfreie Speisen, solche Produkte gibt es auch mit Gluten und wenn ich früher – vor meiner Diagnose – auf eins gestoßen bin, habe ich es aus der Liste der Lebensmittel, die ich einkaufe, schlichtweg aussortiert.

Das funktioniert im Leben ohne Gluten genauso. Um die mir gut schmeckenden Produkte zu finden, liegt es in der Natur der Sache, die einen oder anderen probieren zu müssen. So habe ich letztendlich aber auch immer Lebensmittel gefunden, die gut schmecken.

Indes ist die Liste der für mich verbotenen Speisen und Getränke so lang, weil in unserer Essenskultur schier überall auf Weizen basierende Zutaten eingesetzt werden. Entsprechend ist der Wegfall der Back- und Teigwaren mit dem typischen Weizengeschmack für all die Zöliakiebetroffenen, die sich nicht seit frühster Kindheit glutenfrei ernähren, mit der gravierendste Einschnitt in ihr Leben. Immerhin werden wir Neubetroffene recht unsanft aus unserer gewohnten Geschmackswelt gerissen.

Deshalb begeben sich viele Betroffene auf die Suche nach ähnlich schmeckenden Produkten und dem *Geschmack von damals*. Immer wieder finden sich Anmerkungen in Produktbeschreibungen oder Rezepten, dass ein Brot oder eine Pizza *wie früher* oder ein Brötchen oder Kuchen *wie ein normaler* schmecke. Es sei dahingestellt, ob der Weizengeschmack wirklich der normale ist oder nicht eher ein vertrauter, weil das Weizenmehl als preiswerte Grundlage für entsprechend viele Teige verwendet wird.

Und soll der *Geschmack von damals* ein Stück der als verloren empfundenen Lebensqualität zurückbringen oder ist er eine Suche nach der Vergangenheit? Auch das muss jeder für sich beantworten.

Natürlich kann ich den ganzen Tag an einer Reiswaffel oder einem Apfel knabbern und über mein Leid klagen. Ich kann aber die Zöliakie auch als Chance sehen, mit für mich neuen Lebensmitteln und Gerichten – etwa aus Asien oder Mittel- und Südamerika – eine neue Geschmackswelt zu entdecken.

Vor meiner Diagnose habe ich um so gut wie alles, was nicht der Vorstellung des mir vertrauten Geschmacks entsprach, erst einmal einen großen Bogen gemacht. Nie wäre ich auf die Idee gekommen, Nudeln aus Gemüsemehl zu probieren. Brote, Brötchen oder Pizza- und Kuchenböden aus Reis- oder Buchweizenmehl. Oder Gerichte mit Amarant, Hirse, Maniok, Quinoa oder verschiedene Kartoffelsorten aus anderen Ländern. Und was hätte ich nicht alles verpasst!

Sicher, ich hatte keine Wahl, aber mir brachte das Verlieren der gewohnten Geschmackswelt eine positive Überraschung. Vieles, was ich früher für exotisch oder fremd hielt, entpuppte sich als ein fantastisches Geschmackserlebnis aus anderen Ländern und Kulturen, was ich heute nicht – mehr – missen möchte.

•••••

Am Anfang des Buchs habe ich ebenfalls erwähnt, dass ich nach anfänglichen Problemen mit der glutenfreien Diät und dem glutenfreien Leben heute beschwerdefrei lebe. Das kann jeder Betroffene einer Zöliakie erreichen, denn dafür habe ich keineswegs das Rad neu erfunden. Mit einer positiven Grundeinstellung und konsequentem Handeln lässt sich das Leben mit Zöliakie und der damit verbundenen glutenfreien Diät sehr gut meistern. Denn jetzt, da ich weiß, wie das Leben ohne Gluten funktioniert, weiß ich auch, wann ich welche Fragen zu stellen habe. Schließlich darf ich nicht auf die richtigen Antworten hoffen, wenn ich die falschen Fragen stelle. Wer

- seinen gesunden Menschenverstand einschaltet,
- die Regeln der *Glutenfrei-Ampel* jederzeit beachtet,
- bei den Speisen und Getränken an die erlaubten und möglichen Glutengehalte denkt,
- das tägliche Mitzählen der Verzehrmengen nicht vergisst,
- es mit der Risikobereitschaft nicht übertreibt und
- nicht in Trübsinn verharrt, sondern offen für neue kulinarische Genüsse und Erlebnisse ist,

wird schnell feststellen, wie gut es sich sicher glutenfrei leben lässt.

DIE GOLDENE REGEL FÜR EIN SICHERES LEBEN OHNE GLUTEN:
Bin ich mir nicht sicher, ob ein Lebensmittel oder sonstiges Produkt definitiv glutenfrei ist, darf ich ebenso definitiv das Lebensmittel nicht verzehren und das Produkt nicht (ein)nehmen beziehungsweise verwenden.

Habe ich überhaupt eine Alternative zum glutenfreien Leben? Die Antwort kennt jetzt jeder: Nein, habe ich nicht. Da ein die Zöliakie heilendes Medikament nicht in Sicht ist – geforscht wird derzeit vor allem an die Symptome abmildernden Präparaten als die glutenfreie Diät unterstützende Therapie –, führt an der lebenslang einzuhaltenden glutenfreien Diät kein Weg vorbei.

Bitte beachten: *Kein aktuell auf dem Markt erhältliches Präparat gegen Gluten oder Glutenpeptide ist – wie auf den Verpackungen meist auch angegeben – zur Behandlung oder Vorbeugung einer Zöliakie oder anderen glutenbedingten Erkrankung vorgesehen oder geeignet.*

Sich nicht oder nur teilweise an das glutenfreie Leben zu halten, ist keine gute Idee. Denke ich an das Unwohlsein, die unangenehmen und auch schmerzhaften Beschwerden oder das Nährstoffdefizit und vor allem an die möglichen Begleit- und Folgeerkrankungen, sehe ich gleich eine ganze Reihe von Gründen, warum ich nach der Diagnose meine glutenfreie Diät strikt einhalten sollte.

Dabei muss ich stets auch über den Tellerrand schauen und mehr als nur meine glutenbedingte Erkrankung sehen. Natürlich würde mich ein Aussetzen der Diät – wie auch ein Glutenunfall – nicht sofort umbringen, doch bei einem sicher glutenfreien Leben geht es um weit mehr. Ein wie durch die Zöliakie leistungsgeschwächtes, fehlgeleitetes und gegen den eigenen Körper agierendes Immunsystem kann sich einerseits nur schwer selbst regulieren. Andererseits kann es mich nicht umfassend vor anderen Krankheitserregern wie Bakterien oder Viren – etwa den Erregern einer Infektionskrankheit wie der jährlichen Grippewelle oder einer auftretenden Pandemie oder Epidemie – schützen, vor allem wenn die Krankheitserreger besonders aggressiv oder dem Körper bislang unbekannt sind. Und über eine schwere Erkrankung in Verbindung mit einem geschwächten Immunsystem möchte ich gar nicht erst nachdenken.

• • • • •

Auch wenn die *Glutenfrei-Ampel* nebst den Risikobewertungen die Sicherheit in der Welt der Zöliakie deutlich erhöht und mein Leben ohne Gluten vereinfacht, kann auch mit ihr nicht jede aufkommende Frage abschließend beantwortet und nicht für jedes Problem eine allen Ansprüchen und Aspekten gerecht werdende Lösung gefunden werden. Dafür ist die Zöliakie eine zu komplexe Erkrankung und zeigen wir, die Zöliakiebetroffenen, zu unterschiedliche Reaktionen auf die jeweiligen Glutengehalte und -mengen.

Das bedeutet nichts anderes, als dass es unvermeidbar – und vor allem natürlich beim Essengehen – immer wieder einmal zu einer Zum-einen-und-zum-anderen-Situation kommen wird, die nicht unmittelbar geklärt oder zufriedenstellend gelöst werden kann. Zugegeben, die Vorgabe der Risikobewertung für die *Glutenfrei-Ampel* ist dann ein wenig monoton: *Kann ich ein Lebensmittel nicht eindeutig und sicher als glutenfrei einstufen, kann und darf ich es nicht essen.*

Dass eine glutenbedingte Erkrankung wie die Zöliakie die Lebensqualität in bestimmten Situationen durch einen erzwungenen Verzicht stört, mindert oder auch einschränkt, steht also außer Frage. Doch inwieweit, das ist eine der ganz klassischen *Es-kommt-darauf-an*-Fragen, die ich alleine für mich und jeder Betroffene einer Zöliakie alleine für sich beantworten muss.

Denn was für den einen Zöliakiebetroffenen gilt, gilt für einen anderen noch lange nicht.

Danke

Die Zeit vor dem Feststellen meiner Zöliakie war keine leichte. Daher geht ein erstes großes Dankeschön an alle Personen, die mich von der Suche nach der Ursache für meine damals scheinbar grundlos auftretenden gesundheitlichen Beeinträchtigungen bis zu einem wieder beschwerdefreien Leben ohne Gluten unterstützt haben.

Mein zweites großes Dankeschön geht an alle Personen, die mich mit ihren Anregungen und Fragen zum und beim Schreiben dieses Buchs motiviert haben und vor allem an die zahlreichen Zöliakiebetroffenen für die vielen ausführlichen Gespräche und wertvollen Einblicke in ihr glutenfreies Leben sowie ihre Sichtweisen.

Zu guter Letzt danke ich allen, die mich durch das direkte und indirekte Beantworten meiner Fragen bei der Recherche sowie dem Sammeln von Informationen unterstützt haben.

Da ich auf keinen Fall jemanden vergessen möchte, sei es mir nachgesehen, dass ich hier keine einzelne Person nenne, sondern allen Beteiligten in toto danke.

Die
Anhänge

Wörter und Wortkombinationen für glutenhaltige Zutaten

Einige Wörter und Wortkombinationen von A bis Z, die für glutenhaltige Lebensmittel und Lebensmittelzutaten stehen.

- Aroma (Gerste), Aroma (Weizen)
- Bulgur (Weizen), Bulgurweizen
- Couscous (Gerste), Couscous (Weizen)
- Dinkel, Dinkelmehl, Dinkelvollkornmehl
- Ebly* (Weizen)
  Einkorn (Weizen)
  Emmer (Weizen)
- Flocken (Dinkel), Flocken (Gerste), Flocken (Hafer), Flocken (Roggen), Flocken (Weizen)
- Gerste, Gerstenkaffee, Gerstenmalz, Gerstenmalzextrakt, Gerstenstärke
  Getreide (Dinkel), Getreide (Gerste), Getreide (Hafer), Getreide (Roggen), Getreide (Weizen)
  Graupen (Gerste), Graupen (Weizen)
  Grieß (Dinkel), Grieß (Gerste), Grieß (Hafer), Grieß (Weizen)
  Grünkern (Dinkel)
- Hafer, Haferflocken, Haferkleie, Haferkraut
  Hartweizen, Hartweizengrieß
  Hefeextrakt (Gerste), Hefeextrakt (Weizen)
- Kamut* (Weizen), Kamutgrieß (Weizen)
  Khorasan-Weizen
  Kochgerste
  Kornflocken (Dinkel), Kornflocken (Gerste), Kornflocken (Hafer), Kornflocken (Roggen), Kornflocken (Weizen)

- Malz (Dinkel), Malz (Gerste), Malz (Roggen), Malz (Weizen), Malzextrakt (Gerste), Malzkaffee (Gerste)
- Nacktgerste, Nackthafer, Nacktweizen
- Rauweizen,
  Roggen, Roggenmehl, Roggenvollkornmehl
- Seitan (Weizeneiweiß)
  Sommerroggen
  Spelz (Dinkel), Spelz (Gerste), Spelz (Hafer), Spelzgerste
  Stärke (Gerste), Stärke (Weizen)
- Triticale (Roggen), Triticale (Weizen)
- Urkorn (Kamut), Urkorn (Weizen)
- Viogerm* (Weizenkeime)
- Weichweizen, Weizen, Weizeneiweiß, Weizenkeime,
  Weizenkleie, Weizenmalz, Weizenmalzmehl, Weizenmehl,
  Weizenprotein, Weizenstärke, Weizenvollkornmehl
  Winterroggen
- Zweikorn (Weizen)

Glutenfrei trotz Wort für glutenhaltige Zutat: Beispiele für Produkte aus und mit glutenhaltigen Zutaten, die nicht unter die Kennzeichnungspflicht fallen.
- Getreide für Destillate für Spirituosen
- Glukose auf Weizenbasis (glutenfrei gemäß Verordnung)
- Glukosesirup auf Gerstenbasis (glutenfrei gemäß Verordnung)
- Haferfasern (Fasern aus den Stängeln, daher glutenfrei)
- Haferstroh (Fasern aus den Stängeln, daher glutenfrei)
- Maltodextrine auf Weizenbasis (glutenfrei gemäß Verordnung)
- Weizenfasern (Fasern aus den Stängeln, daher glutenfrei)
- Weizenkeimöl (aus dem Keim ohne Mehlkörper gewonnen, daher glutenfrei)

* *Ebly*, *Kamut* und *Viogerm* sind Produktnamen und registrierte Marken beziehungsweise eingetragene Warenzeichen.

Lebensmittel ohne Gluten
und ohne Glutenfreihinweis

Einige Beispiele für die Lebensmittel, die als Rohprodukte nicht als glutenfrei gekennzeichnet werden dürfen.

- Butter
- Eier
- Erfrischungsgetränke
- Fisch (alle Arten)
- Fleisch (alle Arten)
- Frischrahm
- Fruchtsaft
- Gelee
- Gemüse (alle Sorten)
- Gewürze (alle Sorten)
- Honig
- Hülsenfrüchte (alle Sorten)
- Joghurt
- Kaffee
- Käse
- Konfitüre
- Kräuter (alle Sorten)
- Mais
- Marmelade
- Meeresfrüchte (alle Arten)
- Milch (Frischmilch, H-Milch, pasteurisiert)
- Milchprodukte
- Mineralwasser
- Nüsse (alle Sorten)
- Obst (alle Sorten)

- Pflanzenöl
- Rahm und Frischrahm
- Reis und Wildreis
- Saaten (alle Sorten)
- Salz
- Samen
- Schmalz
- Speck
- Süßstoff
- Tee
- Wasser
- Wein
- Wildreis
- Zucker

- Destillate für Spirituosen
- Säuglingsmilch, Säuglingsmilchnahrung, Säuglingsfolgemilch

Stoffe und Erzeugnisse,
die Allergien oder Unverträglichkeiten auslösen

Auszug aus Anhang II der Verordnung (EU) Nr. 1169/2011 des Europäischen Parlaments und des Rates betreffend die Information der Verbraucher über Lebensmittel.

Stoff oder Erzeugnis

- Eier
- Erdnüsse
- Fische
- **Glutenhaltiges Getreide**, namentlich **Weizen, Roggen, Gerste, Hafer, Dinkel, Kamut** oder Hybridstämme davon, sowie daraus hergestellte Erzeugnisse
- Krebstiere
- Lupinen
- Milch (einschließlich Laktose)
- Schalenfrüchte, namentlich Haselnüsse, Kaschunüsse (auch Cashew-nüsse), Macadamia- oder Queenslandnüsse, Mandeln, Paranüsse, Pecannüsse, Pistazien, Walnüsse
- Schwefeldioxid und Sulphite in Konzentrationen von mehr als 10 mg/kg oder 10 mg/l
- Sellerie
- Senf
- Sesamsamen
- Sojabohnen
- Weichtiere

Richtmengen
für kennzeichnungspflichtige Allergene

Beurteilungswerte für kennzeichnungspflichtige Allergene gemäß Paragraf 3 I LMKV (Prüfauftrag an Behörde) laut Beschluss der Arbeitstagung des *Arbeitskreises der auf dem Gebiet der Lebensmittelhygiene und der Lebensmittel tierischer Herkunft tätigen Sachverständigen* vom Juni 2016.

Allergene Zutat	Kennzeichnungspflichtig ab
• Cashew	> 50 mg/kg
• Eier	> 1 mg/kg
• Erdnüsse	> 5 mg/kg
• **Glutenhaltiges Getreide**	**> 80 mg/kg**
• Haselnüsse	> 5 mg/kg
• Lupinen	> 50 mg/kg
• Makadamianüsse	> 20 mg/kg
• Mandeln	> 20 mg/kg
• Milch	> 2,5 mg/kg
• Sellerie	> 20 mg/kg
• Senf	> 5 mg/kg
• Sesamsamen	> 10 mg/kg
• Sojabohnen	> 20 mg/kg
• Paranüsse	> 20 mg/kg
• Pekannüsse	> 20 mg/kg
• Pistazien	> 20 mg/kg
• Queenslandnüsse	> 20 mg/kg
• Walnüsse	> 20 mg/kg

Glutenmengen
pro Verzehrmenge und Glutenbelastung

Verzehrte Glutenmengen im Verhältnis zu den Verzehrmengen und der Glutenbelastung eines Lebensmittels.

VERZEHRMENGE (LEBENSMITTEL)

↓ |←   GLUTENBELASTUNG   →|

↓	3 mg/kg	10 mg/kg	20 mg/kg		80 mg/kg	100 mg/kg
10 g	0,03 mg	0,1 mg	0,2 mg	|	0,8 mg	1 mg
20 g	0,06 mg	0,2 mg	0,4 mg	|	1,6 mg	2 mg
25 g	0,08 mg	0,25 mg	0,5 mg	|	2 mg	2,5 mg
50 g	0,15 mg	0,5 mg	1 mg	|	4 mg	5 mg
100 g	0,3 mg	1 mg	2 mg	|	*8 mg*	*10 mg*
200 g	0,6 mg	2 mg	4 mg	|	*16 mg*	*20 mg*
250 g	0,75 mg	2,5 mg	5 mg	|	*20 mg*	*25 mg*
300 g	0,9 mg	3 mg	*6 mg*	|	*24 mg*	*30 mg*
500 g	1,5 mg	5 mg	*10 mg*	|	*40 mg*	**50 mg**
750 g	2,25 mg	*7,5 mg*	*15 mg*	|	**60 mg**	**75 mg**
1000 g	3 mg	*10 mg*	*20 mg*	|	**80 mg**	**100 mg**
1250 g	3,75 mg	*12,5 mg*	*25 mg*	|	**100 mg**	**125 mg**
1500 g	4,5 mg	*15 mg*	*30 mg*	|	**120 mg**	**150 mg**
1750 g	*5,25 mg*	*17,5 mg*	*35 mg*	|	**140 mg**	**175 mg**
2000 g	*6 mg*	*20 mg*	*40 mg*	|	**160 mg**	**200 mg**
2500 g	*7,5 mg*	*25 mg*	**50 mg**	|	**200 mg**	**250 mg**
3000 g	*9 mg*	*30 mg*	**60 mg**	|	**240 mg**	**300 mg**
3334 g	*10 mg*	*33 mg*	**67 mg**	|	**266 mg**	**333 mg**
6668 g	*20 mg*	**66 mg**	**132 mg**	|	**528 mg**	**666 mg**

↳ **VERZEHRTE GLUTENMENGE**

Glutenmengen
in glutenhaltigen Lebensmitteln

Zahlen aus der *Analyse von Glutengehalten in Getreide und getreidehaltigen Produkten* von Köhler und Andersen aus dem Jahresbericht der Deutschen Forschungsanstalt von 2014.

100 GRAMM	MITTELWERT	MINIMAL	MAXIMAL
• Brötchen	*9183 mg*	6900 mg	16300 mg
• Butterkekse	*5240 mg*	4600 mg	5900 mg
• Dinkel, ganzes Korn	*9894 mg*	7600 mg	11480 mg
• Dinkelmehl 630	*10300 mg*	8500 mg	11300 mg
• Gerste, ganzes Korn	*5624 mg*	4700 mg	6200 mg
• Gerstengraupen	*4700 mg*	3600 mg	5400 mg
• Grünkern, ganzes Korn	*7100 mg*	6000 mg	9700 mg
• Grünkernmehl	*8975 mg*	7300 mg	11500 mg
• Hafer, ganzes Korn	*4557 mg*	3500 mg	6000 mg
• Hafergrütze	*4850 mg*	3400 mg	6100 mg
• Knäckebrot	*3600 mg*	1100 mg	4600 mg
• Roggen, ganzes Korn	*3117 mg*	2300 mg	3800 mg
• Roggenbrot	*1200 mg*	1000 mg	1600 mg
• Roggenmehl 1150	*3483 mg*	2700 mg	4000 mg
• Roggenmischbrot	*3300 mg*	2600 mg	3900 mg
• Toastbrot	*6900 mg*	6700 mg	7100 mg
• Tortenboden	*2160 mg*	1900 mg	2400 mg
• Weißbrot	*5780 mg*	4100 mg	7800 mg
• Weizen, ganzes Korn	*7700 mg*	7100 mg	8900 mg
• Weizenmehl 405	*8660 mg*	7600 mg	9600 mg
• Weizenmischbrot	*3840 mg*	2300 mg	4500 mg

Internetadressen
der Zöliakiegesellschaften

Adressen der Webseiten der Zöliakiegesellschaften, Arbeits- und Interessengemeinschaften oder Selbsthilfegruppen im deutschen Sprachraum und in den Nachbarländern.

Belgien
- *Société belge de la cœliaquie*, sbc-asbl.be
- *Vlaamse Coeliakie Vereniging*, coeliakie.be

Deutschland
- *Deutsche Zöliakie-Gesellschaft*, dzg-online.de

Dänemark
- *Dansk Cøliaki Forening*, coeliaki.dk

Frankreich
- *Association Française Des Intolérants Au Gluten*, afdiag.fr

Italien
- *Associazione Italiana Celiachia*, celiachia.it
- *Associazione Italiana Celiachia Alto Adige - Südtirol*, aicbz.org

Liechtenstein
- *Selbsthilfegruppe für Zöliakiebetroffene im Fürstentum Liechtenstein*, www.zoeliakie.li

Luxembourg
- *Association Luxembourgeoise des Intolérants au Gluten*, www.alig.lu

Niederlande
- *Nederlandse Coeliakie Vereniging*, www.glutenvrij.nl

Österreich
- *Österreichische Arbeitsgemeinschaft Zöliakie*, zoeliakie.or.at

Polen
- *Polskie Stowarzyszenie Osób z Celiakią i na Diecie Bezglutenowej*, celiakia.pl

Schweiz
- *IG Zöliakie der Deutschen Schweiz*, zoeliakie.ch
- *Association Suisse Romande de la Coeliakie*, coeliakie.ch
- *Gruppo Celiachia della Svizzera italiana*, celiachia.ch

Slowakei
- *Slovakian Coeliac Society*, celiakia.sk

Slowenien
- *Slovensko društvo za Celiakijo*, drustvo-celiakija.si

Tschechien
- *Spolecnost pro bezlepkovou dietu*, celiak.cz
- *Sdružení celiaků*, celiac.cz

Ungarn
- *Lisztérzékenyek Érdekképviseletének Országos Egyesülete*, coeliac.hu

Für Verfügbarkeit, Aktualität und Inhalte der genannten Webseiten wird keine Haftung übernommen. Der Autor verweist auf den Stand zum Zeitpunkt der Drucklegung, ohne sich die Inhalte zu eigen zu machen.

Wörter- und Stichwortverzeichnis

Das Wörter- und Stichwortverzeichnis versteht sich als Ergänzung zum Inhaltsverzeichnis. Die im Register angegebenen Seitenzahlen beziehen sich in der Regel auf das Kapitel, in dem ein Begriff oder dessen Bedeutung für das Leben ohne Gluten erklärt wird sowie auf besonders relevante Fundstellen. Begriffe ohne eine nebenstehende Seitenzahl werden als thematische Schlagwörter und Ergänzungen aufgeführt und erklärt.

Einzelne glutenhaltige oder glutenfreie Lebensmittel sowie Sammelbegriffe für Lebensmittel werden in den Anhängen aufgeführt:

- Wörter und Wortkombinationen für glutenhaltige Zutaten
- Lebensmittel ohne Gluten und ohne Glutenfrei-Hinweis
- Glutenfreie Produkte trotz Wort für glutenhaltige Zutat
- Stoffe oder Erzeugnisse, die Allergien oder Unverträglichkeiten auslösen

Atom 30 | Basiseinheit normaler Materie, bestehend aus einem aus Protonen und Neutronen zusammengesetzten Kern, der von Elektronen umkreist wird

Aufpreise für glutenhaltige Produkte 195

Ausgehen 139

Ausflug/Verreisen 151

Autoimmunerkrankung 36 | übermäßige Reaktion gegen körpereigene Strukturen auf körperfremden Stoff

Autoimmunreaktion 39

Avenin 35, 58, 110 | Glutenprotein

backen
→ gleichzeitig glutenfrei und glutenhaltig 134
→ glutenfrei 181

Bäckerasthma 42 | Form der Weizenallergie

Bastelsachen 126

Begleit- und Folgeerkrankungen 41

Bier, glutenfrei/glutenhaltig 118

Biomarker | biologisches Merkmal in Blut oder Gewebeprobe, das krankhafte Veränderungen aufzeigt und Prozesse im Körper nachweist

Codex Alimentarius 45 | Sammlung von Richtlinien und Standards für Lebensmittelsicherheit und -qualität

Darmzotten 38 | Fingerförmige Ausspülungen der Schleimhaut

Deklarationspflicht 50 | siehe Lebensmittelkennzeichnung

Diät (díaita) 19

Darmzotten 40 | Fingerförmige Ausspülungen an der Darmwand

„Die paar Krümel" 168

Dinkel 29 | Getreidesorte, Unterart des Weizens

33-mer Gliadinpeptid 39 | Peptid mit 33 Aminosäuren, Superauslöser Zöliakie

Dünndarm 37 | Teil des Verdauungskanals

Einheimische Sprue 10 | andere Bezeichnung für die Zöliakie

Einkorn 29 | Getreidesorte, Unterart des Weizens

ELISA-Test 65 | Nachweismethode für Glutengehalte

Emmer 29 | Getreidesorte, Unterart des Weizens

Enteropathie 10 | Krankheit der Schleimhaut im Magen-/Darmtrakt

Enzym 37 | biochemischer Katalysator, der selbst nicht verändert wird

Auf einen Blick – Kontaminationen vermeiden beim gleichzeitigen Umgang mit glutenhaltigen und glutenfreien Lebensmitteln

Aufbewahren und Lagern

- Nach dem Einkauf zuerst die glutenfreien Lebensmittel/Produkte weg- oder einräumen, danach die glutenhaltigen.

ERST **GLUTENFREI**   DANN GLUTENHALTIG

- Glutenfreie Lebensmittel bzw. Produkte räumlich separat oder …

| **GLUTENFREI** | | **GLUTENFREI** | | GLUTENHALTIG | | GLUTENHALTIG |
| **GLUTENFREI** | | **GLUTENFREI** | | GLUTENHALTIG | | GLUTENHALTIG |

… oberhalb von glutenhaltigen Lebensmitteln/Produkten lagern.

| **GLUTENFREI** | | **GLUTENFREI** |

| GLUTENHALTIG | | GLUTENHALTIG |

Vor dem Zubereiten

- Darauf achten, dass Arbeitsflächen und -geräte sowie Koch- oder Back-utensilien gründlich gereinigt sind.
- Zuerst die glutenfreien Lebensmittel/Produkte aus dem Vorrats- oder Küchenschrank oder -regal nehmen, danach die glutenhaltigen.

ERST **GLUTENFREI**   DANN GLUTENHALTIG

Beim Zubereiten

Wenn möglich, glutenfreie Speisen/Backwaren zeitlich vor allen gluten-haltigen kochen oder grillen oder backen …

   GLUTENFREI   GLUTENHALTIG

… und zum Warmhalten separat oder oberhalb von glutenhaltigen Speisen/ Backwaren (zwischen)lagern.

- Für die Zubereitung glutenfreier Lebensmittel/Produkte eigene Arbeits-flächen und -geräte und Koch- oder Backutensilien verwenden. Jeweils andersfarbige oder mit Aufklebern markierte Küchenutensilien helfen, Verwechslungen zu vermeiden.

- Töpfe und Pfannen zu- oder abdecken, um Spritzer zu vermeiden.
- Beim Backen Backbleche und Backformen nicht einfetten, sondern mit Backpapier auslegen.
- Beim Kochen oder Backen glutenfreier Produkte im Bereich mit gluten-haltigem Mehl auf den Sicherheitsabstand achten.

- Nicht vergessen: Mehlstaub bleibt auch an der Kleidung hängen.

Anrichten und Servieren

- Glutenhaltige Lebensmittel/Speisen nicht oberhalb von glutenfreien an-reichen oder stellen.
- Unterschiedliche Schneide- und Servierbestecke und Servierplatten für glutenfreie und glutenhaltige Lebensmittel/Speisen verwenden.

Nach dem Kochen oder Backen

- Zuerst die glutenfreien Lebensmittel/Produkte wegräumen, danach die glutenhaltigen.
- Arbeitsflächen und -geräte sowie Koch- oder Backutensilien gründlich reinigen. Nicht vergessen: Beim Reinigen können glutenhaltige Reste in Spül-, Geschirr- und Handtüchern hängenbleiben.

Brotzeit

- Unterschiedliche Verpackungen oder Behältnisse sowie Servierbestecke und Messer für glutenfreie und glutenhaltige Brote verwenden.
- Brot nur im eigenen Toaster oder mit Toastabag toasten.
- Nicht vergessen: Krümel/Krumen fliegen weiter, als man denkt.

[de]	Dinkel	Gerste	Roggen	Weizen	Hafer	GLUTENFREI
[en]	spelt	barley	rye	wheat	oats	GLUTEN-FREE
[es]	espelta	cebada	centeno	trigo	avena	SIN GLUTEN
[fr]	épeautre	orge	seigle	blé	avoine	SANS GLUTEN
[it]	farro	orzo	segale	frumento	avena	SENZA GLUTINE
[nl]	spelt	gerst	rogge	tarwe	haver	GLUTENVRIJ
[pt]	espelta	cevada	centeio	trigo	aveia	SEM GLÚTEN